Eine Bildreise

Toma Babovic / Monika Hörig / Ellert & Richter Verlag

Münster und das Münsterland

Inhalt

Das Lexikon sieht's geographisch: Tieflandbucht zwischen dem Teutoburger Wald und dem Nordrand des Rheinischen Schiefergebirges, ist da unter „Münsterländer Bucht" zu lesen, und weiter: heide- und moorreiche Lehm- und Sandebene mit vereinzelten Höhen (Baumberge, Beckumer Berge); im Mittelpunkt die Stadt Münster.

„Im logistischen Brennpunkt Europas, in der Nähe des Ballungsraumes Rhein/Ruhr gelegen, eröffnet es neue Perspektiven und neue Märkte für unternehmerisches Engagement weit über seine Grenzen hinaus" – heißt es im Werbedeutsch der Wirtschaftsförderer.

„Seltsames, schlummerndes Land. So sachte die Elemente, so leise aufseufzender Strichwind, so träumende Gewässer ..." So schildert es Annette von Droste-Hülshoff, die Dichterin, deren ganzes Leben und Werk ihrer Heimat Münsterland gewidmet war.

Das alles ist zweifellos das Münsterland, und jeder muß für sich herausfinden, was es für ihn ist. Das Münsterland ist keine Landschaft, die laut ihre Reize anpreist. Ihre Schönheit fällt sofort ins Auge, aber leise, auf stille Art. Sie will entdeckt werden, am liebsten von Genießern, die klare Farben lieben und den zarten, aber doch bestimmten Pinselstrich eines ... ja, wer könnte eigentlich die Facetten des münsterländischen Kaleidoskops einfangen?

Vielleicht van Gogh, der die leuchtenden Rapsfelder und satt-grünen Wiesen, eingerahmt von schnurgeraden Alleen, festhielte? Vielleicht Renoir, den die flirrenden Lichtpunkte über sommerheißen Moorflächen fasziniert hätten? Oder die Niederländer, an die schon der Chronist westfälischen Lebens Levin Schücking (1814 – 1883) dachte: „... unten im Tale mit seinen Gebüschen und holzreichen Fernen sehen wir Gruppen schlanker Buchen und mächtige alte Eichen, Wiesen, ruhende Herden, so malerisch, daß wir an Ruysdaels Bilder gemahnt werden"?

Machen wir uns also unser eigenes Bild von dieser bäuerlichen Parklandschaft – oder von der parkartigen Bauernlandschaft? –, und lassen wir uns Zeit dazu. Denn der flüchtige Betrachter wird wenig mehr erhaschen als den Eindruck eines gepflegten Stückchens Erde mit blitzsauberen Fachwerkhäusern und hier und da einer stolzen Wasserburg.

Was gehört nicht alles zu einem Bild des Münsterlands! Da sind die schmucken Bauernhöfe, die bescheidenen Kotten, die Bildstöcke an den Wegkreuzungen, die farbenfrohen Schützenfeste, das Gefühl bukolischer Lebenslust, wenn unter ausladenden Kastanienbäumen Westfälisch-Deftiges aufgetischt wird. Hier steht ein weiß-schwarzer Fachwerkgiebel stolz über sommerlich reifem Korn, da strotzt ein Bauerngarten üppig mit Stockrosen, Wicken und Ringelblumen, Teichlinsen überziehen lindgrün eine Wasseroberfläche. Auf den Kanälen tuckern Lastkähne, das Moor gluckst dunkel um bleiche Birkenstämme, Möwen kreischen über weiten Feuchtwiesen. Knorrige Weidenköpfe hocken auf den Wallhecken, die vor dem Wind schützen und das Gebiet in handliche Weiten aufteilen, dem Horizont zustrebende Alleen ziehen geometrische Linien in die Winterwelt, verdorrende Eichen sterben würdig inmitten der lebenden Natur. Auf jeden Fall ist das Münsterland einzigartig; denn vom gleichfalls „platten" Norden trennt es die herbe Lieblichkeit seiner Parklandschaft, vom sanfthügeligen Süden die Weite der Wiesen und die eigentümliche Stille der Moore.

Ja, die Stille. Sie ist eines der Pfunde, mit denen das Münsterland wuchern kann, bewahrt es doch als Land der Pferde, der Fahrräder und der Heißluftballons immer noch den Takt vergangener Zeiten. Das ist ein touristisches Plus, während die Wirtschaftsstrategen wiederum gern die Dynamik des Landes und seine ökonomischen Entwicklungsmöglichkeiten herausstreichen. Natürlich hat auch am Münsterland die Zeit ihre Spuren hinterlassen, der „Garten Gottes" ist mit elektrisch geladenen Zäunen gesichert, die Mastbetriebe arbeiten fast industriell, und an jedem Bauernhof kündet eine Satellitenschüssel von den modernen Freizeitbeschäftigungen seiner Bewohner. Hier das Gleichgewicht zu bewahren, ist eine der Herausforderungen an unsere Zeit; denn Landstriche, die Erholung vom täglichen „Hassebassen" versprechen, werden rar. Wer aber ins Münsterland kommt, sich der Landschaft und ihrem Rhythmus anvertraut, atmet hörbar durch, fällt in einen langsameren Gang. Ein bißchen Zeit sollte also mitbringen, wer das Land zwischen Lippe und Teutoburger Wald, zwischen der niederländischen Grenze und dem Raum Gütersloh-Bielefeld entdecken will. Freilich durchziehen gut ausgebaute, breite Straßen das Münsterland; Geschäftigkeit gehört auch hier zum Alltag. Aber der Reiz des Landes läßt sich am besten auf den kleinen Straßen oder den Pfaden, den Patts oder Pättkes, erspüren.

Da trifft man oft stundenlang keinen Menschen, sieht allenfalls von Ferne auf den Feldern Bauern arbeiten. Man kommt vorbei an Höfen, deren Fachwerk liebevoll erhalten wurde und vor deren Haustür oft eine große Linde oder Kastanie dem gedeckten Familientisch Schatten gibt; an weißen Gattern der Pferdekoppeln, an saftig grünen Weiden und grellgelben Rapsfeldern; an hellen Kiefernwäldchen und kilometerlangen Alleen aus Linden, manchmal auch Eichen. Und immer wieder stößt man auf die „Perlen" des Münsterlands, auf die Wasserburgen und Wasserschlösser, für die das Land so berühmt ist.

Es gibt wasserumwehrte adlige Häuser in Frankreich, Belgien, in den Niederlanden und in Dänemark, auch im Rheinland und in Norddeutschland, aber das „Land der Wasserburgen" ist unstreitig das Münsterland. Reich an Sümpfen, Bächen und Flüssen, bot es die günstigsten Voraussetzungen für Wehr- und Fliehburgen, die aus der Not der Berglosigkeit die Tugend ausgeklügelter Grabensysteme machten. Stauwehre, künstliche Flußarme oder eine abgetrennte Flußschleife, kurz, die durchdachte Sicherung der Gebäude durch Wasser, machte den Ursprungsgedanken der Wasserburgen aus. Gewaltige Anlagen entstanden, mit Ringgräben von über 400 Metern Durchmesser wie in Groß-Schonebeck bei Senden oder 225 Metern wie in Haus Langen bei Westbevern. Im 12. Jahrhundert übernahm das Münsterland die „Motte", den künstlichen Hügel als Unterbau für die Burgen, aus der Normandie. Wehrhaftigkeit war oberstes Gebot, erst mit der Renaissance wuchsen die Ansprüche an Wohnlichkeit und Komfort, die im Barock ihren Höhepunkt fanden. Mit dem Klassizismus kam Mitte des 18. Jahrhunderts das Ende des Wasserburgenbaus im Münsterland.

Geblieben ist ein Erbe von rund hundert dieser „Perlen", die Gräftenhöfe, also stattliche Güter mit Wassergräben, gar nicht gezählt. Aber fast immer gilt: man muß sie suchen, sie verbergen sich hinter hohen Bäumen und dichten Büschen, selten stellen sie sich einem in den Weg wie in Nordkirchen, dessen Beiname „Westfälisches Versailles" den Wunsch nach sichtbarer Repräsentation gar nicht leugnet. Doch selbst dieser prunkvolle Bau bescheidet sich sowohl in den Ausmaßen als auch in den Materialien, die mit rotem Backstein und hellem Sandstein typisch münsterländisch und somit dem heimatlichen Boden verpflichtet sind. Dies ist ein Charakteristikum münsterländischer Wasserburgen

und -schlösser, aber in diesem scheinbar engen Rahmen entfalten sie das gesamte Spektrum architektonischer Vielfalt. Es gibt keine Duplikate, jeder Bau ist einzigartig.

An Originalen reich, und dies nicht nur im kauzig-kuriosen Sinn, ist auch der Menschenschlag. Dabei gilt er landläufig als stur, als wortkarg und unzugänglich – und ist doch nur liebevoll dem Alten verbunden. Der Münsterländer nimmt das Neue (oder den Neuen) vielleicht erst nach einiger Prüfung an, um dann um so zuverlässiger dabeizubleiben und gegebene Versprechen zu halten. An Humor fehlt es nicht, aber er ist hintergründig und leise. Unsterblich hat der 1922 erschienene Schelmenroman „Der tolle Bomberg" von Josef Winckler das „Original" Gisbert von Romberg gemacht. Der Sonderling lebte 1839 bis 1897 auf einem Wasserschloß bei Buldern und verschaffte dem kleinen Ort sogar einen eigenen Bahnhof, weil es die Verwaltung der Reichsbahn irgendwann leid war, daß der Baron auf der Heimreise dort immer per Notbremse den Schnellzug anhielt.

Im Münsterland waren die Spökenkieker nicht selten, jene Menschen mit dem „zweiten Gesicht", die Unglücke vorhersahen und ihre Mitmenschen damit erschreckten. Aber hinter dem rauhen Äußeren sitzt das hilfsbereite Herz, das fröhliche Gemüt, wissen doch die Münsterländer durchaus deftig zu feiern. Bei Schinken und Würsten (im Rauch über dem Kamin am „Westfälischen

Himmel" geräuchert), bei Bier und Korn geht es bis tief in die Nacht, ob bei Mariä Himmelfahrt in Warendorf, beim Send in Münster oder bei den Osterfeuern überall im Land.

Lassen Sie sich also ein auf dieses „Original" namens Münsterland und entdecken Sie es auf Ihre Weise. Es wird Ihnen gefallen.

Der Kiepenkerl, einst Handelsreisender zwischen Stadt und Land, ist zum Sinnbild des Münsterlands geworden. Im Freilichtmuseum Mühlenhof in Münster und überall, wo sich Menschen für das „alte Münsterland" interessieren, erzählt er, wie es früher war.

The Kiepenkerl, trading between town and country with panniers on either side of a yoke fitted to his shoulders, has come to symbolise Münsterland. At Mühlenhof open-air museum in Münster and wherever people show interest in the past, he is there to tell them what life was like in olden days.

Die alte Bockwindmühle ist
die Keimzelle des Freilicht-
museums Mühlenhof am
münsterschen Aasee. 1748
wurde sie im Emsland er-
richtet und tat bis 1943
ihren Dienst. 1960/61 wurde
sie als erstes Bauwerk im
Mühlenhof aufgestellt. Der
damalige Verkehrsdirektor
Theo Breider war die trei-
bende Kraft für das Unter-
nehmen, das der von ihm ins
Leben gerufene Verein „De
Bockwindmüel" bis heute
trägt und ständig weiter aus-
baut. Im Mühlenhof erfährt
der Besucher anschaulich,
wie es einst im bäuerlich ge-
prägten Münsterland aussah.

The old revolving windmill
is the nucleus of Mühlenhof
open-air museum by Aasee
lake in Münster. It was
built in Emsland in 1748
and saw service until 1943.
In 1960/61 it was the first
building to be erected at
Mühlenhof. Theo Breider,
director of tourism at the
time, was the driving force
behind the enterprise, which
is still backed by "De Bockwindmüel," the society he
founded. Mühlenhof visitors
can see for themselves how
life was once lived in pre-
dominantly rural Münster-
land.

Schwarz-weißes Fachwerk, beschattet von alten Bäumen und umgeben von einem üppigen Bauerngarten: eine bukolische, fast schon unwirklich erscheinende Szenerie, die im Münsterland immer wieder Wirklichkeit wird, gleich, ob man sich wie hier am Fuße des Teutoburger Waldes befindet oder am Rand des Ruhrgebiets, ob an der Grenze zu den Niederlanden oder am Übergang zum Weserbergland. Immer noch bestimmt die Landwirtschaft das Münsterland – und das Festhalten an Bewährtem, Vertrautem. Die Münsterländer gelten deshalb schnell als stur und sind doch nur liebevoll der Tradition verbunden.

Black and white half-timbering shaded by mature trees and surrounded by the lush vegetation of a cottage garden: a bucolic scene that seems almost unreal, but repeats itself time and again in Münsterland, no matter whether one is here at the foot of the Teutoburger Wald, on the edge of the Ruhr, close by the Dutch border or crossing into the Weserbergland. To this day, agriculture and a predilection for keeping to what is tried and tested stamp the character of the region. That is why others are quick to describe its people as stubborn, whereas in fact they are just tradition-loving.

Einen solchen Anblick erwartet man kaum mitten in Europa: Wildpferde, die in fast völliger Freiheit leben. Der Merfelder Bruch, ein rund 200 Hektar großes Gelände bei Dülmen, ist das letzte Reservat, das den Tieren ihr ursprüngliches Lebensumfeld bietet. Kiefernforst, Birkengehölz und Laubwald wechseln sich ab mit offener Grasfläche, Heide und Buschwerk. Dazwischen noch Reste des einst großen Sumpfes, der inzwischen weitgehend entwässert ist. Jedes Frühjahr wird die ganze Herde zusammengetrieben, junge Männer fangen die einjährigen Hengste heraus – ein atemberaubendes Schauspiel, das immer wieder viele Zuschauer anzieht.

One hardly expects to see a sight like this in the middle of Europe: wild horses, living in almost total freedom. Merfelder Bruch, 200 hectares in area near Dülmen, is the last reserve which offers the animals their original habitat. Pine forest, birch copses and deciduous woods alternate with open grassland, heath and bushes. In between are the remains of a big marsh which has largely dried out. In spring the horses are herded together for young men to chase and catch the yearling stallions - a breathtaking show which always attracts a large crowd of spectators.

Haus Borg bei Rinkerode ist
eine der größten Burganla-
gen des Münsterlands. Auf
zwei Inseln gruppieren
sich Gebäude aus fünf Jahrhunderten um die Innenhöfe.
Das schlichte Herrenhaus,
im 15. Jahrhundert begon-
nen und Ende des 16. Jahrhunderts erweitert, ragt unmittelbar aus der breiten
Gräfte, dem schützenden
Wassergraben, auf. Die für
das Münsterland charakteristischen Dreistaffelgiebel
sind sein einziger Schmuck.
1717 begann Baumeister
Gottfried Laurenz Pictorius
mit einer gründlichen Um-
gestaltung, die allerdings
nur teilweise ausgeführt
wurde. Leider sind die wun-
dervollen Stukkaturen
von Antonio Rizzo, der
auch in Nordkirchen gearbeitet hat, nicht zu besichtigen.

Haus Borg near Rinkerode
is one of Münsterland's
largest fortress complexes.
Buildings from five cen-
turies are grouped round
interior courtyards on two
islands. The simple manor
house, begun in the 15th
century and extended at the
end of the 16th, rises direct-
ly out of the wide defensive
moat. Its only ornamentation
are the triple-graduated
gables characteristic of the
Münsterland. In 1717 master
builder Gottfried Laurenz
Pictorius began fundamental
alterations which were only
partially completed. Sad to
say, the wonderful stucco
work by Antonio Rizzo, who
also worked on the palace
of Nordkirchen, is not open
to visitors.

Ein Bild voller Ruhe: Ein Reiher hat sich am Halterner Stausee niedergelassen. Obwohl sich das Gewässer zu einem beliebten Freizeitziel entwickelt hat, finden die Vögel stille Ecken, in denen sie ungestört sind. Haltern und sein Stausee liegen inmitten des Naturparks Hohe Mark mit seinen ausgedehnten Wäldern, mit Heideflächen und Mooren. Schon die Römer wußten die teils hügelige, teils flache Gegend zu schätzen und richteten hier einen großen Militärstützpunkt ein. Die Funde aus den Kastellen sind im modernen Römermuseum ausgestellt.

A scene of perfect tranquillity: a heron has made its home by the Haltern reservoir. Although this stretch of water has become a favourite leisure spot, birds still find quiet corners where they are undisturbed. Haltern and its reservoir are situated in the midst of the Hohe Mark national park with its extensive woods, expanses of heathland and bogs. The Romans, appreciating the charms of the area with its combination of hills and flat countryside, set up a large military base here. Items excavated from their forts are on show in the modern Roman museum.

Plötzlich ist man in der Stadt. Das Münster-Land endet fast abrupt. Jedenfalls ist der Übergang kaum zu erkennen. Eben noch flaches, strotzend grünes Land, saftige dunkle Erde, ländliche Stille und Weite – und nun pulsiert geschäftiges Leben, ist städtische Dichte, recken sich Türme um die Wette in den Himmel, hasten Menschen. Der Rhythmus? Ist er nicht vielleicht doch ein bißchen langsamer, bedächtiger als wir es aus anderen Großstädten gewohnt sind? Das ist ja heute eher Tugend als Vorwurf, und deshalb sei behauptet: Hier gibt der regelmäßige Pedaltritt der Fahrradfahrer das Tempo an, nicht der Takt der (Auto-) Motoren.

Ja, die Fahrräder. Wer mit dem Zug ankommt, sieht sich mit Hunderten, ja Tausenden konfrontiert, die mehr oder weniger in Reih und Glied rund um den Bahnhof abgestellt sind. Es gibt sogar eigene Fahrrad-Parkhäuser in Münster, und auf ihre über 250 Kilometer Radwege ist die Stadt ganz besonders stolz. Die Pedalritter haben ihr eigenes Verkehrsnetz, mit speziellen Ampeln, die ihnen stets einen Vorsprung vor den Autofahrern geben. Rund 300 000 Leezen – so heißen die Räder im münsterschen Jargon – soll es in der Stadt geben – bei 280 000 Einwohnern. Sogar das Signet der 1200-Jahr-Feier, die Münster 1993 beging, drückte die Verbundenheit mit den allgegenwärtigen Zweirädern aus: Die beiden Nullen waren zum Fahrrad stilisiert.

Liudger, der am Anfang der münsterschen Geschichte steht, war allerdings „per pedes apostolorum" in die Niederung an der Aa gekommen, ausgesandt von Karl dem Großen, um das Sachsenland zum Christentum zu bekehren. 793 gründete der aus einem friesischen Adelsgeschlecht stammende Mönch auf dem Boden einer in den Sachsenkriegen zerstörten Siedlung namens Mimigernaford sein „Hauptquartier". Von hier aus, wo die Aa wichtige Handelswege kreuzte, sollte der Siegeszug des Christentums in der Tiefebene zwischen Teutoburger Wald und Rhein gelingen.

Und er gelang. 805 wurde Liudgers Sprengel zum Bistum erhoben, er selbst zum Bischof geweiht. Das Münsterland war Teil des christlichen Abendlands und des europäischen Großreichs Karls des Großen geworden. Für Münster begann damit der nun knapp über 1200 Jahre dauernde Weg zu jener modernen Großstadt in ehrwürdigem Rahmen, als die sie sich heute zeigt.

Keimzellen sind Liudgers Kloster, das Monasterium, dem die spätere Stadt ihren Namen verdankt, und der St.-Paulus-Dom. Wer sich ihm nähert – von welcher Seite auch immer –, wird mit Erhabenheit, Hoheit konfrontiert. Kommt man von Westen, steigt der Weg kaum 50 Schritte vor dem Westwerk mit den mächtigen Doppeltürmen plötzlich an und hebt es noch ein wenig höher hinaus. Von Norden her muß man die enge Bebauung am Rande des Domplatzes durchbrechen und steht recht unvermittelt im Schatten des Domgebirges. Von Süden oder Westen her aber schafft die riesige freie Fläche des Domplatzes Distanz und unterstreicht womöglich noch die Majestät des Bauwerks, dessen heller Sandstein aus den nahen Baumbergen mit den hellgrünen Kupferdächern so gar nichts vom dunkel Dräuenden manch anderer Dome hat. Das Kopfsteinpflaster zwingt zur langsamen, allmählichen Annäherung. Und wenn gerade Mittwoch oder Samstag ist, lockt erst einmal das lebhafte Treiben des Wochenmarktes auf dem Domplatz, wo sich ganz Münster und halb Westfalen regelmäßig ein Stelldichein geben.

Die heutige Gestalt des Domes ist im wesentlichen ein Werk des 13. Jahrhunderts. Rund 40 Jahre dauerte es, ehe der wuchtige Bau mit seinem massiven Westwerk, dem basilikalen Mittelschiff und dem Hochchor an der Schwelle von der Romanik zur Gotik fertiggestellt war.

Man betritt den Dom von Süden her durch das Paradies mit den Figuren der Apostel und des Weltenherrschers im

Inneren und den Bildern des im letzten Weltkrieg zerstörten Gotteshauses an der Wand. Der gewaltige Innenraum des Doms zieht mit seiner monumentalen Schlichtheit und der überraschenden Helligkeit jeden in seinen Bann. Nur weniges ist von dem ehemals reichen Schmuck der Kirche erhalten: die überlebensgroßen Figuren der vier Evangelisten an den Vierungstürmen, das bronzene Taufbecken aus dem 14. Jahrhundert, die mächtige Christophorus-Figur mit dem (echten!) Baum in der Hand und die Astronomische Uhr im Chorumgang, ein Wunderwerk des Spätmittelalters, dessen Kalender bis in das Jahr 2071 geht. Ob die Konstrukteure meinten, dann höre die Zeit auf?

Wenige Schritte entfernt ist die Grabkapelle des Kardinals Clemens August von Galen, des „Löwen von Münster".

Die Predigten, mit denen der damalige Bischof im Juli und August 1941 die Tyrannei der Nationalsozialisten anprangerte, forderten die Achtung der Menschenrechte ein. Er setzte sich damit großer Gefahr aus, getreu seinem Wahlspruch, sich weder Lob noch Furcht zu beugen (nec laudibus, nec timore). Kaum zum Kardinal erhoben,

Das türmereiche Münster war und ist der Mittelpunkt des Münsterlands. Die „Metropolis Westphaliae" hat nichts von ihrer Anziehungskraft verloren.

Münster, with its many towers, was and still is the hub of the region. The "Westphalian metropolis" has lost none of its attraction.

starb er 1946. Sein übermannsgroßes Standbild unter den Linden neben dem Domchor ehrt Standfestigkeit und Mut von Galens.

Mit wenigen Schritten, die vom Domplatz hinein in die Stadt führen, überschreitet man die Grenze zweier historischer Welten, die teils in zweckorientierter Gemeinschaft, teils in Feindschaft die Geschicke der Stadt bestimmt haben: die Domburg mit dem Klerus einerseits und die Kaufmannshäuser mit der Bürgerschaft andererseits. Die Vogelperspektive macht die auffällige topographische Gestalt dieser untrennbar miteinander verbundenen Zweiheit auch heute noch sichtbar: hier der Dom mit dem ihn umgebenden Platz, da der nach Westen offene Ring der dicht an dicht stehenden Giebelhäuser – Rothenburg, Prinzipalmarkt, Drubbel, Roggenmarkt und Spiekerhof –, und das Ganze schließlich umgeben von der Promenade, dem einstigen Festungswall Münsters.

Nicht nur architektonisch ist Münsters Prinzipalmarkt etwas Besonderes, jene Straße, die mit Fug und Recht Münsters Zentrum genannt werden kann. Hier

schlägt das Herz der Stadt. Noble Geschäfte, traditionsreiche Restaurants und gemütliche Cafés locken unterschiedliche Kundschaft. Ab und an hält ein Rolls Royce vor einem edlen Juwelier, läßt sich Graf Soundso beim zweiten Frühstück ausrufen, während am Nebentisch eine Gruppe junger Studentinnen kichert. Hier promeniert man, schaut und kauft, und jeder noch so kleine Sonnenstrahl wird genutzt, um sich in einem der Straßencafés niederzulassen.

Hohe, schmale Häuser mit steilen Giebeln und Bogengängen, die auf wuchtigen Säulen ruhen, rahmen diesen „schönsten Freilichtsaal" der Welt ein, wie ihn die Schriftstellerin Ricarda Huch genannt hat. Für die Münsteraner ist er deshalb ein gewissermaßen natürlicher Festplatz, was sich zu Karneval und beim Stadtfest bewährt, wenn die Festgäste nach Zehntausenden gezählt werden. Geradezu märchenhaft schön ist die „gute Stube" der Münsteraner in der Adventszeit. Aus den Fenstern der dreistöckigen Häuser leuchten dann Kerzen, deren sanftes Licht durch Tannenzweige hindurch auf das Kopfsteinpflaster schimmert. Ja, die Münsteraner wissen, wie sie ihre Stadt von der schönsten Seite zeigen können.

Die Häuser am Prinzipalmarkt sind Ausdruck stolzen Bürgersinns, der die reichen münsterschen Kaufleute ihre Kontore unmittelbar am Rand der Domfreiheit errichten ließ. Seit 1280 haben Generationen an dieser einmaligen Straße gebaut – bis ein Bombenangriff sie 1943 zerstörte.

In dieser schweren Zeit zeigte sich aber der über Jahrhunderte in der Auseinandersetzung mit der wechselnden Obrigkeit erprobte Durchsetzungswillen der Münsteraner. Sie wollten keine neue Stadt, sie wollten ihr altes Münster. Und so wurden nach dem Krieg Dom und Lambertikirche, Schloß und Rathaus und natürlich die Giebelhäuser am Prinzipalmarkt wieder so aufgebaut, wie sie waren, mit hier und da vereinfachten Formen, aber im bewährten Maßstab. Was damals reaktionär schien, war in Wahrheit mutig und wird heute von vielen Stadtvätern anderer Städte beneidet.

Denn sicher ist es diese Verwurzelung in ihrer Geschichte, die die Bürger der Stadt mehr Gemeinsinn an den Tag legen läßt als er anderswo anzutreffen ist.

Zwei Bauwerke dominieren den Häuserkranz des Prinzipalmarktes: St. Lamberti mit seinem neugotischen Turm und das Rathaus, dessen filigraner Giebel sich stolz über die Dächer reckt. Die Stadt- und Marktkirche mit dem spitzen, dem Freiburger Münster abgeschauten Turm steht dort, wo Roggenmarkt und Alter Fischmarkt in den Prinzipalmarkt münden. Ihre Bekanntheit verdankt die zwischen 1375 und 1470 erbaute Hallenkirche jedoch weder dem ungewöhnlichen Relief der Wurzel Jesse über dem Hauptportal noch der Tatsache, daß Kardinal von Galen hier seine mutigen Predigten hielt, sondern der schauerlichen Geschichte um die drei Käfige oben am schlanken, feingliedrigen Turm. In ihnen waren nämlich einst die Leichname der drei Anführer der Wiedertäufer-Bewegung zur Schau gestellt worden.

Finstere Jahre waren das damals, 1534/35, als die Wiedertäufer Münster zur Hauptstadt ihres „Reiches" machten. Dabei war der Ausgangspunkt zunächst nur die Verkündigung der Lehre Martin Luthers, die schnell Zulauf aus den münsterschen Kaufmanns- und Handwerkerkreisen erhielt. Unter der Führung des angesehenen Tuchhändlers Bernd Knipperdolling bildete sich eine reformatorische Opposition, die sogar die Ratsmehrheit eroberte. Ihr Ziel: die Obrigkeit zugunsten der Bürgerfreiheit zurückzudrängen. Münster schloß sich 1533 der Reformation an; selbst der neugewählte katholische Bischof Franz von Waldeck stand ihr damals aufgeschlossen gegenüber.

Aber dann kam es zu einer Radikalisierung der Bewegung. Getragen von den zahlreichen Anhängern der Täufer-Lehre, die nach Münster geströmt waren, proklamierte sich der „Prophet" Jan van Leiden zum König und errichtete eine Schreckensherrschaft. Wer seine Anordnungen zur Ablieferung allen Vermögens, Erwachsenentaufe und Vielweiberei – er selbst hatte 16 Frauen – kritisierte, wurde hingerichtet. In einem

Blutbad ging schließlich auch das Wiedertäufer-Reich unter, als die bischöflichen Truppen 1535 die Stadt einnahmen.

Der bürgerlichen Emanzipationsbewegung tat dies übrigens kaum Abbruch. Der Fürstbischof setzte 1541 die Stadtverfassung wieder in Kraft, 1553 wurden die Gilden, die ständischen Zusammenschlüsse der Kaufleute und Handwerker, erneut zugelassen; sie hatten die Täufer-Bewegung mit Macht unterstützt und waren deshalb nach dem Fall der Stadt verboten worden. Innerstädtische Toleranz der Konfessionen bestimmte die nächsten Jahrzehnte und führte die Stadt aus der Katastrophe zu neuer Blüte in der zweiten Hälfte des 16. Jahrhunderts.

St. Lamberti beherbergt übrigens das „höchste Dienstzimmer" Münsters, die Türmerstube. 1481 ist erstmals ein Türmer urkundlich erwähnt. Seine Aufgabe: Brände und feindliche Truppen zu melden. Nach mehreren Unterbrechungen hat Münster seit 1950 wieder einen Türmer, dessen Kupferhorn allnächtlich zu hören ist. 298 Stufen wendeln sich hinauf zu seiner Stube, von der aus der Blick über die steilen Dächer der Altstadt geht, über die gewaltige Baumasse des Domes und über das Schloß hinweg bis weit hinaus ins Münsterland.

Das münstersche Rathaus steht für eines der leuchtendsten Kapitel der Stadtgeschichte. 1648 richteten sich alle Augen auf Münster. Seit fünf Jahren verhandelten hier und in Osnabrück die Vertreter der europäischen Mächte, um dem Morden des Dreißigjährigen Krie-

ges ein Ende zu machen. Ort der Verhandlungen in Münster war die Ratskammer des gotischen Rathauses, der heutige Friedenssaal. Rechtzeitig im Krieg ausgelagert, ist die alte Ausstattung so erhalten, wie Gerard Terborch sie auf seinem zeitgenössischen Gemälde vom Friedensschluß festgehalten hat. Die kostbaren Schnitzereien bewundern alljährlich Hunderttausende von Besuchern. Viele davon kommen aus den Niederlanden, für die der Westfälische Frieden die Unabhängigkeit brachte und damit die Geburtsstunde der Nation war.

Nicht zuletzt die starken, ja überdimensionalen Befestigungsmauern, die Münster umgaben, waren Grund dafür, daß die Stadt im Dreißigjährigen Krieg weitgehend ungeschoren davonkam. Die intakte Infrastruktur ließ die „Metropolis Westphaliae" prädestiniert erscheinen, einen so großen Kongreß zu beherbergen. Der Kaiser und die Reichsstände einerseits und die katholischen Vormächte Frankreich und Spanien andererseits verhandelten seit 1643 in Münster über einen Frieden, über Gebietsaufteilungen und Religionszugehörigkeiten, während gleichzeitig die aufständischen Niederlande mit Spanien um ihre Unabhängigkeit rangen. In Osnabrück saßen sich das Reich und Schweden am Verhandlungstisch gegenüber.

Sechs Jahre lang hatte Münster mehr Gäste als Einwohner in seinen Mauern zu versorgen, eine logistische Meisterleistung. Hin und her bewegten sich die Delegationen in der Stadt, um in immer wieder unterschiedlichen Konstellationen die Sache des Friedens voranzubringen. Dem ernsten Tagesgeschäft standen Abend für Abend zahllose Festivitäten gegenüber, bei denen sich dann die Ver-

In Flammen und Blut ging 1535 das Wiedertäuferreich in Münster unter. Die Herrschaft des „Propheten" Jan van Leiden begann mit religiöser Inbrunst und endete in einer Schreckensherrschaft.

In 1535 the Anabaptist theocracy in Münster was put down in blood and fire. "Prophet" John of Leyden's rule began with religious fervour and ended in a reign of terror.

handlungsgegner zuprosteten. Ein ganz besonderes literarisches Zeugnis hat uns der Gesandte des Papstes, Fabio Chigi, der 1655 selbst als Alexander VII. den Heiligen Stuhl bestieg, von dem Leben im damaligen Münster hinterlassen. Er faßte seine Eindrücke von der Stadt, ihren Gebäuden, Einwohnern und Sitten in einem Gedicht zusammen, in dem all das Erstaunen des Südländers über die rauhen Westfalen zum Ausdruck kommt. Von dampfenden Misthaufen auf den Straßen ist da die Rede und von dem gemeinsamen Dach, unter dem Bürger und Kühe leben. Und ein ganz eigenes Gedicht hat er dem Wetter gewidmet: „Heimat des Regens! So möchte ich Dich, Mimigarda, benennen!"

Das Rathaus, dessen helle strenge Sandsteinfassade als eine der bedeutendsten Leistungen gotischer Profanarchitektur gilt, ist detailgetreu wiederaufgebaut worden. Die Räume werden für Ratssitzungen, Feiern, Konzerte usw. genutzt, im Friedenssaal heißt die Stadt ihre Gäste willkommen und läßt ihnen den Ehrentrunk aus dem „Goldenen Hahn" reichen. Das Trinkgefäß, eine Nürnberger Goldschmiedearbeit des 17. Jahrhunderts, erinnert an jenes Federvieh, das die Stadt bei einer Belagerung gerettet haben soll. Der Hahn – so heißt es – war das letzte Stück Geflügel, das einem Ratsherrn noch geblieben war. Als er ihn schlachten wollte, flog der Hahn davon und krähte in seiner Not lauthals auf der Stadtmauer. Die Belagerer schlossen daraus, daß in Münster noch längst keine Hungersnot herrschen könne und zogen ab. Der Ratsherr aber wurde zum Bürgermeister gewählt ...

Zum Komplex des Rathauses gehört das unmittelbar benachbarte Stadtweinhaus mit seiner volutengeschmückten Fassade, deren Treppengiebel durch kleine Obelisken bekrönt wird. Hier wurden früher die Stadtwaage und die Weinvorräte verwahrt, für die der Rat das Monopol besaß. Vom Balkon unter dem Stadt-

Im Friedenssaal zu Münster wurde im Mai 1648 der Friede zwischen Spanien und den Niederlanden als Teil des „Westfälischen Friedens", der den Dreißigjährigen Krieg beendete, beschworen. Gerard Terborch hielt den Eid in einem Gemälde fest.

In the Friedenssaal, or Peace Hall, in Münster the peace between Spain and the Netherlands was signed in May 1648 as part of the Treaty of Westphalia which ended the Thirty Years' War. Gerard Terborch immortalised this in an oil painting.

wappen aus begrüßt das Stadtoberhaupt den Rosenmontagszug – auch dafür ist Münster berühmt! – und den Zug der Bäckergilde am „Guten Montag". Damit gedenken die münsterschen Bäcker einer Heldentat ihrer Zunft, haben sie doch 1683 die Stadt Wien vor der Eroberung durch das türkische Heer gerettet. Bei ihrer Nachtarbeit hatten die in Wien tätigen Bäcker aus Westfalen Geräusche gehört, aus denen sie schlossen, daß die Belagerer unterirdische Gänge in die Stadt hinein gruben. Der Plan der Muselmanen konnte vereitelt werden, und der Kaiser sagte den Bäckern eine Belohnung zu, die sie sich selbst aussuchen konnten. Ihr Wunsch: ein arbeitsfreier Tag, der „Gute Montag", wie sie ihn in Münster als Fest ihrer Zunft zu feiern gewohnt waren. In ihrer Heimatstadt aber wurde die alle drei Jahre begangene Zeremonie zum Gedenktag für das historische Ereignis im fernen Wien.

Eines der Charakteristika münsterscher Topographie ist der Promenadenring, der sich um die Innenstadt zieht und Münster zur „Stadt im Lindenkranze" (so beginnt das „Münsterlied") macht. Er ist Zeugnis von Münsters mittelalterlicher Vergangenheit, als sich ein doppelter Mauerring um die Stadt zog. Der Zwinger, ein mächtiger Rundbau mit zwei Meter dicken Mauern, und der Buddenturm sind Reste der Befestigungen. 4,5 Kilometer reiht sich Linde an Linde, deren zartes Grün im Frühjahr die Spaziergänger mit sanftem Licht einhüllt, deren Blüten im Sommer atemberaubend duften und deren Zweige selbst im Herbst und Winter noch ein schützendes Dach bilden.

Die münstersche Innenstadt ist noch gar nicht richtig zu Ende, da steht man schon mitten im „Naherholungsgebiet Aasee", wie es im Amtsdeutsch heißt. Die Aa (der Name steht für Wasser), der münstersche Hausfluß, wurde hier gestaut, es entstand ein Binnensee, an dessen Ufern sich gleich drei der bedeutendsten Sehenswürdigkeiten der Stadt angesiedelt haben.

Am besten erkundet man sie mit dem „Wasserbus", der zu Ehren des Zoo-Gründers „Professor Landois" heißt. Allein die Fahrt ist schon ein Vergnügen. Langsam geht es über den ruhigen See, Surfer und Segler kreuzen die Route, und schon hält das Schiff am Freilichtmuseum Mühlenhof. Um eine alte Bockwindmühle aus dem 16. Jahrhundert, der nach einem Unwetter im Frühjahr 1995 neue Flügel angesetzt wurden, ist ein kleines Dorf entstanden: mit dem Mühlenhof von 1619, dem prächtigen Gräftenhof von 1720, mit Backhaus, Roßmühle, Spieker (Speicher), Bleichhütte, Schmiede und einer alten Schule, in der hin und wieder Unterricht gegeben wird. Ein Dorfkrug fehlt nicht, und beim Kaufmann gibt's münstersche Spezialitäten.

Nächster Halt des Wasserbusses ist der „Allwetterzoo", der erst 1974 hier errichtet wurde. Seinen Vorgänger, den „alten" Zoo, hatte Professor Hermann Landois (1835 – 1905) gegründet, dessen Denkmal jetzt im neuen Zoo steht. Und weil Landois ein echtes Original war, hatte er durchgesetzt, daß er sein Standbild selbst gestalten dürfe: mit einem Starenkasten im Zylinder, so daß die Vögel dem ehrwürdigen Herrn Professor immer etwas auf den Allerwertesten kleckern können... Seinen Namen verdankt der Allwetterzoo den überdachten Gängen zwischen den Tierhäusern, die vor stechender Sonne ebenso schützen wie vor Regen und gar Schnee.

Er gilt mit Delphinarium und Aquarium als einer der modernsten Zoos der Welt und hat vor allem viel Erfolg bei der Tierzucht. Fast immer tummelt sich in den Gehegen Nachwuchs.

Letzte Station ist das Westfälische Museum für Naturkunde mit seinem Planetarium. Astronomie, Mineralogie, Geologie, Paläontologie, Tiere und Pflanzen in ihrem Lebensraum – das moderne Haus zeigt einen faszinierenden Querschnitt durch „die Welt, in der wir leben".

Noch eines: Haben Sie die vielen jungen Gesichter im Stadtbild bemerkt? „Alte Stadt voller Jugend" hieß einst ein Motto der münsterschen Stadtwerbung. Und tatsächlich: ein Fünftel der Einwohner sind Studenten, jeder zweite Münsteraner hat das 30. Lebensjahr noch nicht vollendet! Vor allem die

Wann endet die Zeit? Wenn man der Weltzeituhr im Dom zu Münster glauben wollte, im Jahr 2071. Seit 1540 zeigt sie die Zeit, den Stand der Sonne, die Bewegungen der Planeten und die beweglichen Feste an.

When will time end? In 2071, if Münster Cathedral's world clock is any guide. Since 1540 it has shown the time, the position of the Sun, the movements of the planets and the movable feasts.

Westfälische Wilhelms-Universität, die Fachhochschule und die Kunstakademie ziehen Lernbegierige, Lehrende und Forscher von weit her an. Vom Fürstenberghaus am Domplatz aus, benannt nach dem Gründer der Universität, erstreckt sich das Hochschulgelände keilförmig zum Stadtrand hin und endet in den hochaufragenden Bettentürmen des Universitätsklinikums, in dessen Nähe auch das Naturwissenschaftliche Zentrum und die Fachhochschule angesiedelt sind.

Wer sich einmal in den Mauern des ehrwürdigen Barockschlosses immatrikuliert, einmal eine Vorlesung im hochmodernen Klinikum gehört und einmal in einer der Studentenkneipen gesessen hat, kommt von der Universität und der Stadt, zu der sie gehört, nicht mehr los. Viele bleiben einfach in Münster „hängen", was kaum einer wirklich bereut.

Durch diese starke Präsenz ist einerseits sichergestellt, daß Münster wirklich eine „Universitätsstadt" ist und nicht nur eine Stadt mit Universität. Andererseits halten die vielen jungen Leute die Stadt, die als „Schreibtisch Westfalens" auch heute noch passend charakterisiert ist, lebendig. Als Oberzentrum eines ländlichen Raums, als Verwaltungsmittelpunkt eines Regierungsbezirks, als Standort zahlreicher Behörden aller Art ist Münster eine typische „Beamtenstadt". Nimmt man die mächtige Stellung der Kirche hinzu, ist schnell das Bild der stockkonservativen Stadt fertig. Aber das ist eben nur die eine Hälfte der münsterschen Mischung. Die andere ist von großer Aufgeschlossenheit geprägt, wie es auch kaum anders sein kann, wenn sich die Hälfte der Bevölkerung der Forschung und Lehre widmet. Hier die schon etablierte Bürgerschaft, da die aufmüpfigen Studenten – irgendwie spielt jeder seine Rolle, aber irgendwie kommen sie auch ganz gut miteinander zurecht, weil sie sich nicht wirklich als Gegensätze empfinden.

Für den Besucher wird dies augenfällig, wenn er sich abends in eine der schönen alten Kneipen der Stadt setzt (davon gibt's übrigens auf jeden Fall mehr als

Kirchen, das ist verbürgt). Vor allem das Kuhviertel in unmittelbarer Nähe des Stadtzentrums bietet sich dafür an. In den kleinen, liebevoll restaurierten alten Häusern finden sich seit Jahrzehnten die Bürger zusammen – aber der Beitrag der Studenten zur Lokalkultur ist unübersehbar. Dauernd entstehen neue Gaststätten, manchmal ist es auch nur ein neuer Wirt, und neben den Jungen finden sich bald auch ältere Semester ein. Oder die Damen und Herren Studiosi nehmen einfach Platz an jenen gescheuerten Holztischen der Traditionskneipen, in denen sich schon Generationen verewigt haben und wo heute die „Paohlbürger" (die bodenständigen, alteingesessenen Pfahlbürger) von der Vergangenheit schwärmen, und sprechen gemeinsam der Altbierbowle zu. Wer denkt da nicht sofort an Pinkus Müller, die münstersche Gaststätte schlechthin, in der heute noch selbstgebrautes Altbier auf die alten Holztische kommt? Oder an Mutter Birken oder den Nordstern, wo man noch zu nachtschlafender Zeit den Bierpegel mit einem halben Hähnchen in Schach halten konnte? Auch zu „Stuhls" (Stuhlmacher) am Prinzipalmarkt ging man, aber eigentlich erst, wenn das Examen schon in greifbarer Nähe oder vielleicht schon hinter einem lag.

Vielleicht ist es gerade dieses Ineinandergleiten von Gestern und Heute, das das Besondere an Münster ausmacht. Denn es ist auch im Stadtbild, das ja Ausdruck der inneren Strukturen ist, das

prägende Element: hier das Festhalten an den ererbten Grundrissen und Maßstäben, dort der Mut zu neuen Formen, wie er 1994 mit dem spektakulären Neubau der Stadtbücherei zum Ausdruck kam. Ein „Gefühl von Geborgenheit" spürte ein Journalist in diesem Miteinander, zumal es die Münsteraner fertigbrächten, die „Illusion nähren zu können, die Imitationen seien erhaltene Bestände aus vorigen Jahrhunderten." Gegensätze, die sich respektieren, scheinen das Motto zu sein, das Münster zur „schönsten unter den schönen Städten Deutschlands" gemacht hat – wie jedenfalls Bundespräsident Theodor Heuss einst meinte. Münsterländisch-bescheidener sagte es Annette von Droste-Hülshoff: „Et giff män een Mönster" – es gibt nur ein Münster.

Junge, ältere und alte Semester zieht es gleichermaßen immer wieder ins münstersche Kuhviertel. Die kleinen Häuser mit ihren gemütlichen Kneipen sind Treffpunkt der Einheimischen und der Besucher, die hier das münstersche Altbier kennenlernen.

Young and old alike are regular visitors to Münster's Kuhviertel, with its small houses and snug bars on which locals and visitors converge to savour the city's Altbier.

Er ist die Keimzelle Münsters und auch heute noch Mittelpunkt der Stadt: der St.-Paulus-Dom. Das Jahr 805, in dem Liudger zum Bischof geweiht und der erste Dom errichtet wurde, ist auch das Gründungsjahr der Stadt. 1071 brennt der karolingische Dom ab und wird durch einen neuen ersetzt, der 1090 geweiht wird. Nur dreißig Jahre später geht auch diese Kirche in Flammen auf, als Lothar von Sachsen die Domburg stürmt. 1225 wird der Grundstein für den dritten Dom gelegt, der erst im Bombenhagel des Zweiten Weltkriegs untergeht. Sein Wiederaufbau 1946–56 markiert den Neubeginn Münsters aus den Ruinen.

St Paul's cathedral, the nucleus of the town of Münster, is still its centrepiece. The town was founded in 805 AD, the year Liudger was consecrated as bishop and the first cathedral was built. The Carolingian cathedral burnt down in 1071 and was replaced by a new one, consecrated in 1090. Only 30 years later this cathedral, too, went up in flames when Lothar of Saxony stormed the cathedral keep. In 1225 the foundation stone of the third cathedral was laid, and it held until it was destroyed by bombs in World War II. Its reconstruction between 1946 and 1956 marked Münster's rebirth out of the ruins.

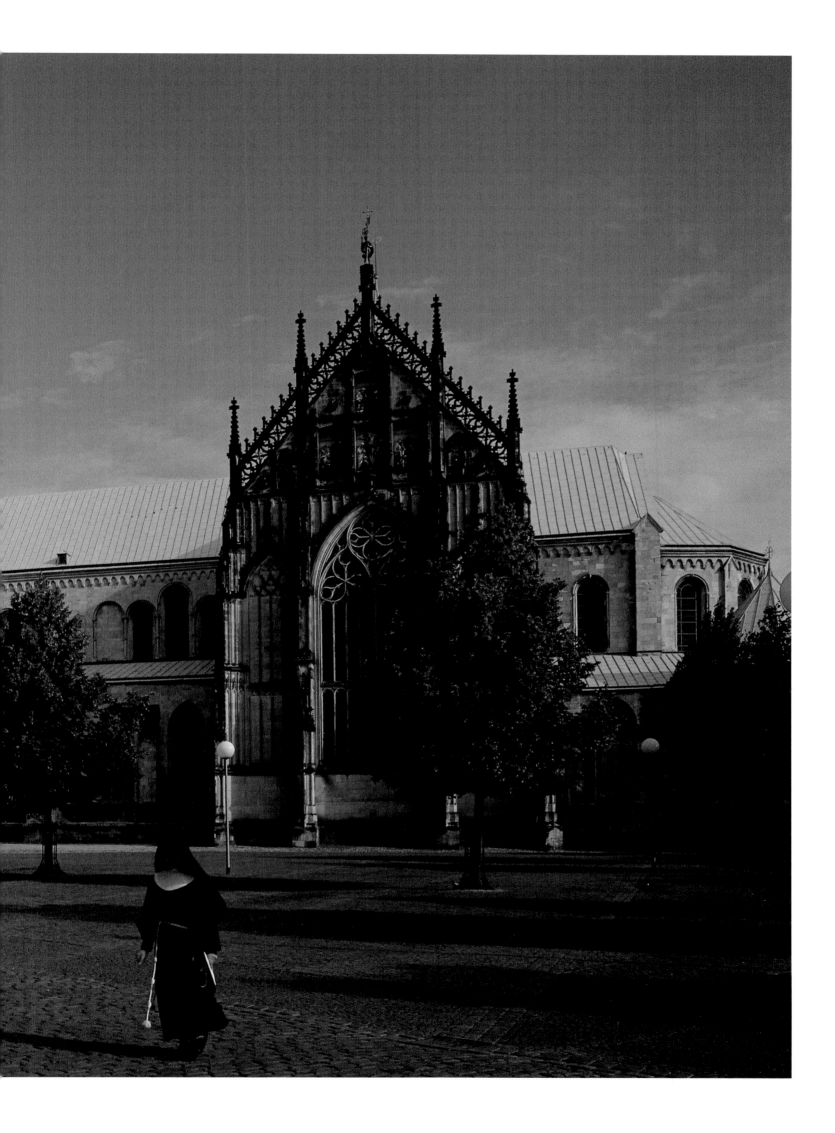

Der filigrane Turm der
Stadt- und Marktkirche
St. Lamberti überragt den
münsterschen Prinzipal-
markt, dessen hochstrebende
Giebel zu ihm in die Höhe
weisen. Der gotische Bau
trägt diesen Turm allerdings
erst seit 1887–98, als der
mittelalterliche Vorgänger
einzustürzen drohte; das
Freiburger Münster stand
bei der Neugestaltung Pate.
Ein jahrhundertealtes Bei-
werk durfte dabei nicht fehlen: die drei Eisenkäfige,
in denen die Leichen der
Anführer der Wiedertäufer-
bewegung nach der Hinrich-
tung 1536 als öffentliche
Warnung „ausgestellt" wurden.

The filigree tower of the
town and market church of
St Lambert towers above
Münster's Prinzipalmarkt,
whose pointed gables reach
up towards it. The Gothic
church has boasted this
tower only since 1887–98,
when its mediaeval prede-
cessor threatened to collapse.
The new tower was modell-
ed on Freiburg Minster.
One centuries-old feature
was retained: the three iron
cages in which the corpses
of the leaders of the Anabaptist movement were "ex-
hibited" as a public warning
after their execution in
1536.

Die Schaufront des münsterschen Rathauses ist eines
der wenigen Beispiele für
den Versuch, den Zustand
vor der Zerstörung im Zweiten Weltkrieg möglichst ge-
nau zu rekonstruieren. Im
14. Jahrhundert errichteten
die selbstbewußten Bürger
ihr repräsentatives Rathaus.
Der Bau mit dem prächtigen
Giebel aus Baumberger
Sandstein, der direkt dem
Zugang zur alten Domfrei-
heit zugewandt war, gehört
zu den schönsten profanen
Bauwerken der Gotik in
Europa. In stilisierter Form
ist der Treppengiebel mit
den sieben schmalen Feldern
zum Erkennungszeichen
Münsters geworden.

The show front of Münster's
Rathaus is one of the few
examples of an attempt to
restore a building as exactly
as possible to its condition
before it was destroyed in
World War II. The self-
assured citizens of Münster
built their distinguished Rathaus in the 14th century.
With its magnificent Baumberg sandstone gable direct-
ly facing the entrance to the
old cathedral precincts, the
building is one of the finest
examples of Gothic secular
architecture in Europe.
A stylised depiction of the
graduated gable with its
seven narrow sections is
now the city's emblem.

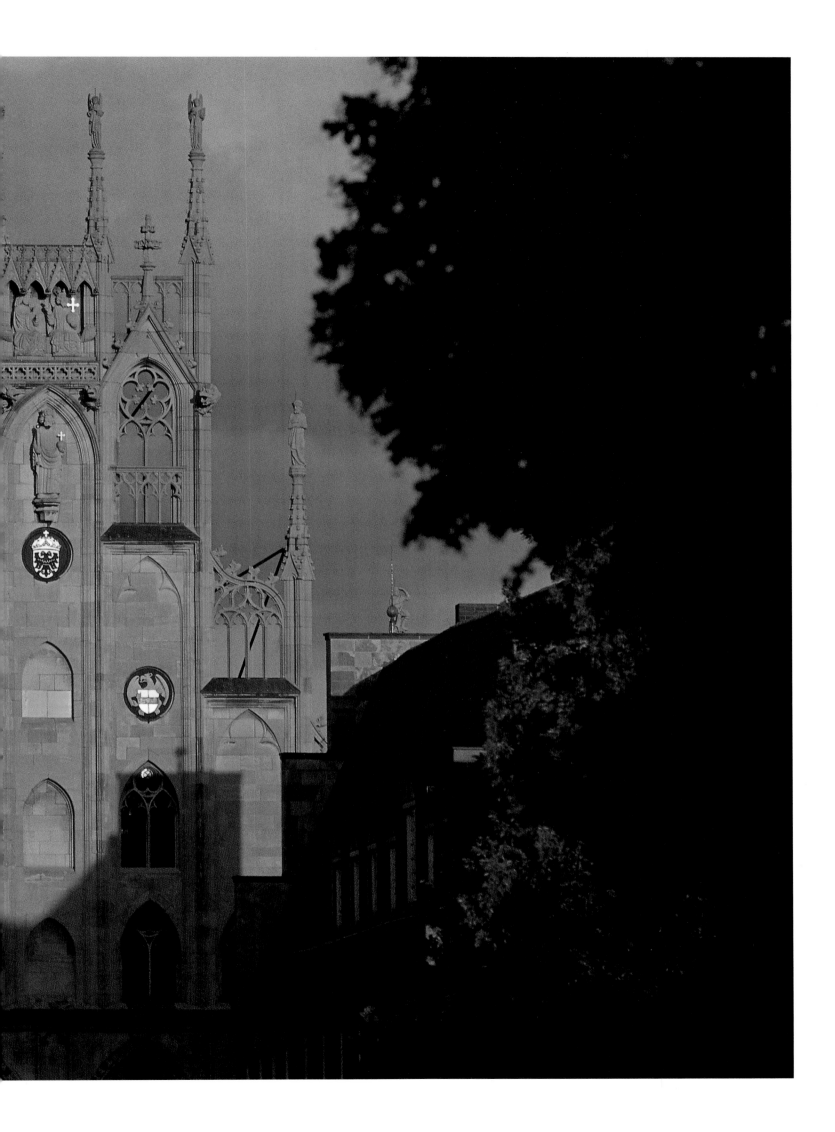

Herrliches Schnitzwerk be-
deckt einen Teil der Wände
des Friedenssaals im mün-
sterschen Rathaus. Der
Raum im Erdgeschoß erhielt
seinen Namen durch die
Beeidigung des Friedensver-
trags zwischen Spanien
und den Niederlanden 1648.
1577 hatte Hermann tom
Ring die alte Ratskammer
mit der hölzernen Wandver-
täfelung ausgestattet, die im
Krieg ausgelagert und da-
durch gerettet wurde. Hinter
den mit religiösen und profanen Szenen geschmückten
Türen werden Akten aufbe-
wahrt. Heute zeigt man hier
Kuriositäten und Kostbar-
keiten, darunter den Goldenen Hahn, ein Trinkgefäß
aus dem 17. Jahrhundert, in
dem das Stadtoberhaupt
heute den Gästen der Stadt
den Ehrentrunk kredenzt.

Splendid wood carvings
adorn part of the walls
of the Friedenssaal (Hall of
Peace) in Münster Rathaus.
The ground-floor room owes
its name to the solmnisation
of the peace treaty between
Spain and the Netherlands
in 1648. Hermann tom Ring
fitted the old council cham-
ber with its wood panelling
in 1577. It was removed
and stored elsewhere during
the war and was thus saved.
Behind the doors, decorated
with religious and secular
scenes, documents were
kept. Nowadays this space is
used to exhibit curiosities
and treasures, among them
the Golden Cock, a 17th
century drinking vessel
which the mayor still uses to
offer a drink to official
guests.

Wie eine Krone umgibt die Reihe der Giebelhäuser am münsterschen Prinzipalmarkt die einstige Domfreiheit. Die schmalen Häuser mit ihren hohen Giebeln sind seit Jahrhunderten Ausdruck bürgerlichen, kaufmännischen Stolzes. Ihre Rekonstruktion nach dem Krieg geschah in Anlehnung an die alten Formen und gilt als eines der gelungensten Beispiele städtischen Wiederaufbaus. Die Arkadengänge, hinter denen sich elegante Geschäfte verbergen, machen den Einkaufsbummel bei jedem Wetter zum Vergnügen. Im Sommer hängen üppige Blumenampeln in den Bögen, im Herbst bunte Laternen und zur Weihnachtszeit Tannenkränze.

The row of gabled houses on Münster's Prinzipalmarkt encircles the former cathedral precinct like a crown. For centuries the narrow houses with their tall gables have been the expression of civic, mercantile pride. They were rebuilt after the war along original lines and are regarded as one of the most successful examples of urban reconstruction. The colonnades, concealing rows of elegant shops, make shopping a pleasure in any weather. In summer baskets of flowers hang from their arches, in autumn colourful lanterns and in the Christmas season wreaths of fir.

Viele bedeutende Baumeister des 16. bis 18. Jahrhunderts haben im Münsterland ihre Spuren hinterlassen: Gerhard Gröninger (gest. 1652), der Schloß Darfeld errichtete; Laurenz von Brachum (1515-1586), der Haus Assen und Hovestadt schuf; Ambrosius von Oelde (gest. 1705), Kapuzinermönch und Anhänger des flämischen Barock, hat Schloß Ahaus erbaut, aber auch die Wasserburg Oberwerries bei Hamm und teilweise Burg Velen; Gottfried Laurenz Pictorius (1663 – 1729), der sich mit den Plänen des prächtigen Nordkirchen ein Denkmal gesetzt hat; Lambert Friedrich Corfey (1668 – 1733) entwarf Schloß Drensteinfurt und die Dominikanerkirche in Münster. Etliche mehr wären zu nennen, oft sind die Architekten der Herrenhäuser und Burgen gar nicht bekannt. Einer aber ragt aus dem Kreis heraus, und selbst die genannten Architekten finden sich in seinem Schatten wieder: Johann Conrad Schlaun, der Ahaus und Velen vollendete, Nordkirchen weiterbaute und als Schüler Corfeys seinen Meister bald übertraf.

Schlaun stammte nicht gerade aus großartigen Verhältnissen. Sein Vater war Amtmann des Zisterzienser-Klosters Hardehausen und Patrimonialrichter für den Bereich Nörde, ein Dorf bei Warburg. J. C. Schlaun wurde am 5. Juni 1695 geboren und am 8. Juni als „filius legitimus Henrici Schluen et Agnetis Berendes" – so das Kirchenbuch – in Ossendorf bei Warburg getauft. Die 1713 begonnene Ausbildung zum Ingenieur-Architekten bei Lambert Friedrich Corfey stellte die Weichen für Schlauns Lebensweg. Seine Karriere war steil, wenn auch nicht kometenhaft; in ihr liefen die Beförderungen als Baumeister fast stets parallel mit einer militärischen Höherstufung: 1715 ist er Leutnant und Paderborner Ingenieur, 1720 Kapitänleutnant und Landmesser von Münster, 1725 Hauptmann und kurkölnischer Oberbaumeister, 1733 Oberst und Kommandant der münsterschen Artille-

rie und 1750 schließlich Generalgouverneur von Meppen.

Die weitaus meisten Bauwerke Schlauns sind in Münster und im Münsterland zu finden. Da sein Förderer und Auftraggeber aber vor allem Fürstbischof Clemens August von Wittelsbach (1700 – 1761) war, der in Personalunion den Fürstbistümern Münster, Paderborn, Köln und später auch noch Hildesheim und Osnabrück vorstand, sind Zeichen Schlaunscher Bautätigkeit in großen Teilen Westfalens und sogar bis ins Rheinland (Schloß Brühl) sowie ins nördliche Emsland (Schloß Clemenswerth) zu finden.

Schlaun hat den Barock im Münsterland, ja in Westfalen zum Höhepunkt gebracht, hat er ihm doch zu einer eigenständigen Entwicklung verholfen, die den Begriff „Westfälischer Barock" rechtfertigt. Im Dienste kunstliebender Fürstbischöfe und des mit ihnen wetteifernden Adels haben die Barockbaumeister, allen voran Johann Conrad Schlaun, das Land mit einer Reihe repräsentativer Wasserschlösser, Kurien und Adelshöfe überzogen, die in kaum einer anderen Landschaft in solcher Fülle und Eigenart anzutreffen ist.

Architektonischer Höhepunkt des Münsterlands ist das Wasserschloß Nordkirchen, dem nach dreißigjähriger Bauzeit Schlaun sozusagen den letzten Schliff gab. Denn Architekt war Gottfried Laurenz Pictorius im Auftrag von Fürstbischof Friedrich Christian von Plettenberg-Lenhausen (1644 – 1706), der 1688 bis 1706 weltliches und kirchliches Oberhaupt des Bistums war. 1703 wurde der Grundstein gelegt. Pictorius hatte sich bei der architektonischen Gliederung des Baukörpers – ganz den Wünschen des Bauherrn entsprechend – an französischen Vorbildern orientiert, die Ausführung als Ziegelrohbau unter reichlicher Verwendung hellen Baumberger Sandsteins war jedoch niederländisch-westfälisch. Die stufenförmige Anordnung der Bauteile läßt das Schloß außerordentlich groß erscheinen, seine Einbettung in die Schlaunschen Parkanlagen erweckt einen überaus eleganten Eindruck, der Nordkirchen den Beinamen „Westfälisches Versailles" eingetragen hat. Pictorius hat das Hauptgebäude, das Corps de Logis, an den hintersten Rand einer Insel gesetzt; weit vorgezogene, pavillonartig gestaltete

Seitenflügel flankieren das zweistöckige Gebäude mit dem Mansarddach. Davor befinden sich, ursprünglich freistehend, zwei winkelförmige Bauten, der Kapellen- und der Dienertrakt. Die verbindenden Pavillons dazwischen stammen erst aus dem Beginn dieses Jahrhunderts.

Der Park von Schloß Nordkirchen, das auch als „Westfälisches Versailles" bezeichnet wird, ist selbst schon ein Erlebnis. In der langen Allee zu flanieren, ist heute kein Privileg der Adligen mehr, sondern sonntägliches Vergnügen für alle.

The park and grounds of Nordkirchen Palace, which has been dubbed the Versailles of Westphalia, are an experience in themselves. A stroll along the long avenues is now a Sunday pleasure for all and no longer a privilege reserved for the aristocracy.

Architekt und Bauherr erlebten die Fertigstellung des Prachtbaus im Jahr 1734 nicht mehr. Schon 1725 hatte Schlaun Pictorius abgelöst. Er zeichnet vor allem für die Innenausstattung mit den herrlichen Stuckdecken verantwortlich und für die meisten Nebengebäude, darunter die Oranienburg und die Orangerie, die im Winter den empfindlichen Bäumchen als Quartier und im Sommer der Hofgesellschaft als Fest- und Bankettsaal diente. Sein Hauptwerk in Nordkirchen ist jedoch der große Garten westlich vom Schloß, der stark französisch beeinflußt ist, aber mit seiner Einbeziehung von Rasenstücken schon den Weg zu einer etwas freieren, naturnäheren Gartenkunst im Sinne des englischen Landschaftsgartens weist.

Schlaun hat nur einmal, am Ende seines Lebens, ein wirklich großes Schloß erbaut, die Residenz zu Münster. Ansonsten war er eher der „Meister der kleinen Form", und das mit großer Genialität. Kaum ein besseres Beispiel für seine Begabung, ein schlichtes Bauwerk zu einer architektonischen Kostbarkeit zu machen, läßt sich anführen als Haus Itlingen nahe Herbern. Aus dem Herrenhaus von 1692 mit Seitenflügel und rundem Turm schuf er 1755 durch den Anbau eines zweiten Flügels einen hufeisenförmigen Bau mit jener Symmetrie, die das Barock forderte. Runde Pavillontürme und ein schmaler Mittelrisalit verleihen dem Gebäude seine besondere Form. Gerade das vorspringende Mittelstück mit dem weich profilierten Portal, der zurücktretenden Balkontür und dem leichten Flachdach schaffen jene heitere Leichtigkeit, für die Schlauns Werke so berühmt sind.

Schlaun hat nicht zuletzt durch seine Studienreise 1720 – 23, die ihn auch nach Paris führte, französische Einflüsse aufgenommen, die auch den Neigungen seines Gönners Clemens August entsprechen. So ist auch der Typ der „maison de plaisance" zu verstehen, des Landhauses, das „commodité, convenance et beauté" (Bequemlichkeit, Zweckdienlichkeit und Schönheit) vereinte und stets den Garten einbezog. Das erste Bauwerk dieser Art in Westfalen – und damit auch weniger eine französische denn eine westfälische „maison de plaisance" – errichtete Schlaun mit Haus Alvinghoff bei Bösensell. Obwohl er seine Pläne nicht vollständig verwirklichen konnte, zeichnet sich die Gesamtanlage durch barocken Schwung und vollendete Symmetrie aus, aber auch für den Misthaufen sieht der Architekt einen Platz vor, und zwar ganz prominent mitten im Hof – es handelte sich eben um ein landwirtschaftlich orientiertes Anwesen.

Nicht überall ist die Nutzung der kleinen und großen Wasserschlösser kontinuierlich, denn ihre Erhaltung ist stets aufwendig, und häufig waren die Familien nicht mehr in der Lage, die Häuser zu (er)halten. Ein gutes Beispiel dafür ist Schloß Velen in der gleichnamigen kleinen Stadt zwischen Borken und Coesfeld. Seit 1765 gehört es den Grafen von Landsberg-Velen, die es vor allem in unserem Jahrhundert mal als Altersheim, mal als Zollschule und schließlich als Sporthotel nutzen ließen. Velen ist ein Produkt verschiedener Baustile und Architekten, eine Uneinheitlichkeit, die die symmetrische Anlage vom Boden aus kaum erkennen läßt. Ende des 17. Jahrhunderts begann Ambrosius von Oelde mit dem Bau einer dreiflügeligen Vorburg, deren Mittelteil heute nicht mehr steht, und des Herrenhauses. Dessen Südflügel stammt im Kern noch aus dem 16. Jahrhundert. 1744/45 fügte Schlaun dann den Nordflügel an; er entwarf auch die Pläne für die Orangerie und die Fasanerie im Schloßpark. Velen brannte 1931 völlig ab, wurde aber in alter Form wiederaufgebaut, mit allen stilistischen Zufügungen der vergangenen Jahrhunderte.

Schlauns Spuren sind überall: in Rheine im Salinenkanal und im Emswehr, in Sassenberg mit dem kleinen einstöckigen Landhaus Schücking, im barocken Stiftsbezirk in Nottuln, im Portal der Kapuzinerkirche in Brakel, im Pfarrhaus in Delbrück, in der Sakramentskapelle in Büren und im Hochaltar in St. Johannes Bapt. in Warburg, in der Stadtwohnung der Dalheimer Äbte in Paderborn, im Gefängnis in Lippspringe.

Sein wichtigstes Werk aber schuf Schlaun in Münster – und erlebte dessen Fertigstellung nicht mehr. Schon 1732 erhielt er erstmals den Auftrag, für die Bischofsstadt ein neues Residenzschloß zu bauen. Die Zitadelle Christoph Bernhard von Galens sollte einem bequemen und repräsentativen Schloß weichen. Aber erst 1767 wurden die Pläne auf Druck der münsterschen Landstände von Fürstbischof Maximilian Friedrich von Königsegg-Rothenfels in die Tat umgesetzt. Schlaun erhielt damit am Ende seines Lebens die Chance, ein Großunternehmen von wahrhaft fürstlichen Ausmaßen in Angriff zu nehmen. 91 Meter lang ist die zur Stadt hin gewandte Front des hufeisenförmigen Baus, dem der Wechsel von rotem Back- und hellem Sandstein zu einer reizvollen Gliederung verhilft. Schlaun hat hier ein Hauptwerk des norddeutschen Barock und zugleich eines der letzten barocken Bauwerke überhaupt geschaffen. Er starb 1773, sein Nachfolger Wilhelm Ferdinand Lipper vollendete den Bau 1787 mit klassizistischen Anklängen, drei Jahre nach dem Tod des Auftraggebers, des Fürstbischofs Maximilian Friedrich.

Hinter dem Schloß erstreckt sich innerhalb der einstigen Befestigungsmauern ein zauberhafter Botanischer Garten;

vor dem Schloß breitet sich ein riesiger Platz aus, der bis heute seine alte Form nur in groben Zügen wiedergefunden hat und als Parkplatz oder Veranstaltungsort genutzt wird. Ein Wettbewerb für die Neugestaltung hat stattgefunden, die Realisierung ist wegen leerer Kassen bei Stadt und Land vorerst auf Eis gelegt. Im Schloß, das 1945 zerbombt und 1947 – 53 äußerlich in der alten Form wiederaufgebaut wurde, hat die Hauptverwaltung der Westfälischen Wilhelms-Universität ihren Sitz.

Schlauns sicher trickreichstes Bauwerk steht auf einem kleinen rechteckigen Grundstück an der belebten münsterschen Salzstraße: der Erbdrostenhof. Das kleine rechteckige Grundstück eig-

nete sich wahrlich nicht für ein repräsentatives Adelspalais, das er im Auftrag des Erbdrosten Freiherr Adolph Heidenreich von Droste zu Vischering (1715 – 1776) erbauen sollte; der Erbdroste war ein persönlicher Verwaltungs-

Der Barockbaumeister Johann Conrad Schlaun war kein einfacher Mann. Er hatte Ecken und Kanten, auch wenn ihn dieses Gemälde in höfisch-repräsentativer Manier zeigt.

Baroque master builder Johann Conrad Schlaun was no easy man. He was not without his rough-hewn traits even though this painting portrays him in the courtly, representative fashion.

beamter des Fürstbischofs. Schlaun fand die Lösung: Er stellte den Bau schräg, gewann so den erforderlichen Ehrenhof und vermittelte gar noch den Eindruck einer Dreiflügelanlage, indem er die Seiten des Gebäudes leicht nach vorn zog.

Nur wenige Schritte entfernt steht ein weiteres Meisterwerk Schlauns, die Clemenskirche, einst Teil des gleichnamigen Hospitals. Auch hier hatte er es 1745 – 53 mit schwierigen Raumproblemen zu tun, die er genial überwand. Das kleine sechseckige Gebäude, das als bedeutendster Sakralbau des westfälischen Barock gilt, besticht durch seine schwingenden Formen und seine prachtvolle Ausstattung im Inneren. Ein winziger, mit Buchshecken in barocken Formen angepflanzter Garten hat erst vor wenigen Jahren den Eindruck eines kleinen Kirchplatzes ergänzt.

Das einzige im Zweiten Weltkrieg nicht zerstörte Bauwerk Schlauns in Münster ist der Oersche Hof, einer jener Stadtpaläste, in denen die Adelsfamilien den Winter zuzubringen pflegten. 1748 hat er das Fachwerkhaus errichtet, in das heute ein Restaurant eingezogen ist.

Schlauns Persönlichkeit leuchtet vor allem als Schöpfer wunderbarer, in ihrer Kleinheit oft genial gestalteter Architektur. In diesem Sinn ist sein eigener Landsitz, Haus Rüschhaus vor den Toren Münsters, sicher eines seiner größten Meisterwerke. Es hat allerdings erst mit seiner namhaftesten Bewohnerin, der Dichterin Annette von Droste-Hülshoff, ebenfalls Berühmtheit erlangt. Aber die Geschichte dieses adligen Bauernhauses ermöglicht uns einen Blick auf den Charakter des großen Baumeisters. Schlauns Einzug löste nämlich einen jahrelangen Streit mit den neuen Nachbarn aus. Der Architekt hatte die nach Rüschhaus führende Eichenallee mit Schlagbäumen versehen lassen, deren Schlüssel er nicht herausgab. Erzürnte Bauern rissen daraufhin Schlauns Anpflanzungen heraus. Der von den Schlagbäumen unmittelbar

betroffene Bauer, der ein Nutzungsrecht auf den alten Weg, über den jetzt die Allee verlief, geltend machen konnte, beschwerte sich bei seinem Grundherrn, der Äbtissin des münsterschen Klosters St. Aegidii. Schlaun erhob Klage. Der Prozeß zog sich mehrere Jahre lang hin, bis die Äbtissin und Schlaun endlich einen Vergleich schlossen, in dem der Herr auf Rüschhaus die Rechte der Anlieger anerkannte und ihnen „auch zur Zeit der Durchfahrth der schlüssel zu den Schlagbäumen unweigerlich hergegeben werden solle".

Eines der kleinformatigen Meisterwerke Johann Conrad Schlauns ist die Clemenskirche in Münster. Der runde Bau besticht mit seiner beschwingten Fassade und dem üppig dekorierten Innenraum.

The church of St Clement's in Münster is one of Schlaun's smaller-scale masterpieces. It is a round building with a vibrant facade and a richly decorated interior.

Johann Conrad Schlaun, der
bedeutendste Baumeister
Westfalens, hat das prachtvolle Residenzschloß in
Münster für Fürstbischof
Maximilian Friedrich von
Königsegg-Rothenfels
entworfen. Zwanzig Jahre
wurde ab 1767 an dem Bau
mit seiner 91 Meter langen
Front gearbeitet, der das
letzte spätbarocke Gebäude
in Norddeutschland war.
Weder Bauherr noch Archi-
tekt erlebten die Fertig-
stellung des Schlosses. Es
blieb leerstehen, bis es 1815
zum Sitz des preußischen
Oberpräsidenten und des
Kommandierenden Generals
bestimmt wurde. Seit der
Wiederherstellung 1953 ist
es Verwaltungssitz der Universität, die im Schloßpark
einen schönen Botanischen
Garten einrichtete.

Münster's magnificent
Schloss was designed by Johann Conrad Schlaun, Westphalia's most distinguished
architect, for Prince-Bishop
Maximilian Friedrich von
Königsegg-Rothenfels. Construction of the building
with its 91-metre-long facade was begun in 1767 and
only completed 20 years
later. It was the last example
of North German late Ba-
roque architecture. Neither
the Prince-Bishop nor the
architect lived to see the palace completed. It remained
empty until 1815, when it
became the official residence
of the Prussian governor and
commanding general. Since
restoration in 1953 it has
been the administrative building of the university, which
established a fine botanical
garden in the palace park.

Klein nur und doch von repräsentativem Äußeren ist der münstersche Erbdrostenhof an der belebten Salzstraße. Johann Conrad Schlaun ist hier ein geradezu geniales Werk gelungen: Auf einem dreieckigen Grundstück schuf er 1753–57 ein Gebäude, das durch einen optischen Trick die Erfordernisse des Dreiflügelbaus erfüllte. Er zog die Seiten konkav nach vorn und erzielte so den Eindruck eines Ehrenhofs. Heute hat hier der Landeskonservator seinen Sitz. In dem völlig rekonstruierten Festsaal, der mit illusionistischer Architektur- und Deckenmalerei und umlaufender Galerie prunkvoll ausgestattet ist, finden stilvolle Konzerte statt.

Though small, the Erbdrostenhof by Münster's busy Salzstrasse has a very imposing exterior. Indeed, in 1753–57 architect Johann Conrad Schlaun succeeded in creating a work of genius on this triangular site. His design used an optical trick to make the building look as if it had three wings. By creating concave side sections he managed to convey the impression of a front courtyard. The Erbdrostenhof is now the office of the district curator. The completely reconstructed banqueting hall, with its magnificently ornate illusionistic architectural and ceiling paintings and surrounding gallery, is used as a venue for stylish concerts.

Der Fürstbischof sparte an nichts, und so entstand ab 1703 das prächtigste Barockschloß in ganz Westfalen: Mit Nordkirchen ließ sich Friedrich Christian von Plettenberg-Lenhausen nach den Schlössern Ahaus und Sassenberg einen wahrhaft königlichen Wohnsitz in die Parklandschaft des Münsterlands setzen. Die schmale Außen- und die breite Innengräfte dienen nicht mehr dem Schutz, nur noch dem Schmuck. In ihrem Wasser spiegeln sich die aus rotem Backstein und hellem Sandstein errichteten Gebäude. Die achteckigen Pavillons an den Ecken der terrassierten Hauptinsel ersetzen die alten Bastionstürme des Vorgängerbaus.

The Prince-Bishop spared no expense, so from 1703 the most splendid Baroque palace in all Westphalia was built. After the palaces of Ahaus and Sassenberg, in Nordkirchen Friedrich Christian von Plettenberg-Lenhausen built himself a truly royal residence amid the park-like scenery of Münsterland. The narrow outer and wide inner moat no longer serve for protection, merely for decoration. The redbrick and light sandstone buildings are reflected in their waters. The octagonal pavilions at the corners of the terraced main island replaced the previous building's bastions.

Ich bin ein Westphale, und zwar ein Stockwestphale, nämlich ein Münsterländer – Gott sei Dank! füge ich hinzu – und denke gut genug von jedem Fremden, wer er auch sei, um ihm zuzutrauen, daß er gleich mir, den Boden, wo ‚seine Lebenden wandeln und seine Todten ruhen‘, mit keinem andern auf Erden vertauschen würde ...“

Annette von Droste-Hülshoff legt 1841 diese vielsagenden Worte dem fiktiven Herausgeber von „Bei uns zu Lande auf dem Lande“ in den Mund. Ja, so hat die Dichterin sich wohl selbst gesehen, ihr Werk ist wie ihr Leben untrennbar mit der Heimat verbunden. Und so bewahrt dieses Land auch heute ihr Andenken wie einen kostbaren Besitz.

Die Dichterin wurde 1797 auf der Wasserburg Hülshoff geboren, dem Stammsitz ihrer Familie, der kaum zehn Kilometer von Münster entfernt inmitten der münsterländischen Parklandschaft liegt. Hier verbrachte Annette ihre Jugendjahre, und hier erhielt sie eine Bildung, die weit über das damals selbst für adlige Mädchen übliche Maß hinausging. Erst unterrichtete sie die Mutter, eine geborene von Haxthausen aus dem Paderbörnschen, dann ein Hauslehrer in Rechnen, Religion und Französisch. Das Schreiben aber, so läßt uns die Dichterin wissen, lernte sie von der Köchin.

Das Schloß ist heute ganz der Erinnerung an seine berühmte Bewohnerin gewidmet. „Annette-von-Droste-Hülshoff-Museumspark“ steht am Eingang. Zäune kanalisieren die Wege der Besucher: Vom Kassenhäuschen aus geht es zunächst außen um die Gräfte, den Wassergraben, herum, vorbei an zwei Bronzeschafen, die am Ufer stehen und an einem Rosenrondell mit einer Bronzebüste Annettes in seinem Mittelpunkt. Bei dieser beschaulichen Annäherung an das Allerheiligste hat man einen schönen Blick auf die Burg, die sich im Wasser spiegelt und von allen Seiten gleich herrschaftlich gebaut ist. Vorbei an der Fontäne, die zu Annettes Zeiten

sicher noch nicht in der Gräfte sprudelte, geht es über eine schmale Brücke in ein kleines Wäldchen, durch das sich der Weg schließlich zur Vorburg schlängelt. Und dann endlich steht man auf der Brücke zum Herrenhaus.

„Du Vaterhaus mit deinen Türmen, vom stillen Weiher eingewiegt, ...“ Welches Wasserschloß ist je so schön besungen worden wie Haus Hülshoff? Rote Ziegeln, helle Werksteine als gliedernde Elemente, die Gartenseite ganz aus heimischem Baumberger Sandstein: Annettes Elternhaus ist in jeder Hinsicht urwestfälisch. Im Inneren Erinnerungsstücke an die Dichterin: eine Ausschneidearbeit aus Papier von ihrer Hand, eine Büste und nicht zu vergessen, das schöne Porträt von Johannes Sprick.

Mindestens ebenso intensiv wie Hülshoff ist Haus Rüschhaus mit dem Namen Annettes verbunden, obwohl hier – wie bereits erwähnt – ein anderer Rechte anmelden könnte. Denn das kleine Landhaus vor den Toren Münsters erbaute Johann Conrad Schlaun für sich selbst und seine Familie. Er kaufte das Gut 1744 der Gräfin Plettenberg-Len-

Als „ein entsetzlich gelehrtes Frauenzimmer“ charakterisierte ihr Schwager Annette von Droste-Hülshoff. 1838 malte Johannes Sprick die damals 41jährige Dichterin, die eine der sprachmächtigsten Frauen Deutschlands werden sollte.

Her brother-in-law described Annette von Droste-Hülshoff as "an awfully scholarly woman". Johannes Sprick painted her in 1838 when she was 41 and a poetess who was to become one of Germany's most powerful and expressive.

hausen ab, einer Verwandten des Erbauers von Nordkirchen. Sofort ließ Schlaun die alten Gebäude abtragen, um mit dem Neubau beginnen zu können. Dabei nutzte er die vorhandenen Gräften als Rahmen für den Garten und den neuen Hof aus.

Schlaun ließ sich von zwei unterschiedlichen Vorstellungen leiten: Zum einen wollte er der ehemals bäuerlich lockeren, unregelmäßigen Hofanlage das Gepräge eines adligen Landsitzes geben, indem er axial eine Allee anlegte und die Gräfte ornamental umformte. Zum anderen gab er dem Herrenhaus die Gestalt eines normalen Bauernhauses mit großer Deele und Flettküche. So steht der Besucher auch heute zunächst vor dem großen Dielentor auf dem Vorplatz, auf dem einst der Stallmist lagerte. Rechts und links flankieren die Remise und der Schweinestall den Hof. Durch eine kleine Pforte gelangt er an der Längsseite des Hauses entlang in den Garten und damit zur „Schokoladenseite" des herrschaftlichen Bauernhauses. Die Gartenfront ist elegant in den Formen, wie ein adliger Landsitz dies erforderte.

Annette von Droste-Hülshoff zog 1826 nach Rüschhaus, zusammen mit ihrer Schwester und ihrer Mutter, als deren Witwensitz ihr Mann Rüschhaus von Schlauns Nachkommen gekauft hatte. Bis 1846 lebte sie in der „wunderlichen Einsiedelei", wie eine Freundin das Haus nannte. Hier hatte Annette ihr „Schneckenhaus", ihr Arbeitszimmer mit einem kleinen Fensterchen zur Küche hinunter.

Erst 1984 wurden der kleine Schmuckgarten an der Rückfront und der Obst- und Gemüsegarten jenseits der inneren Gräfte nach den Schlaunschen Formen wiederhergestellt. Annettes Beitrag zu diesem Garten war der Calycanthus, der Gewürzstrauch, ihre Schwester Jenny ließ die kleine Orangerie anlegen. Annette verließ die Weltabgeschiedenheit des Anwesens immer wieder zu Verwandtenbesuchen in Ostwestfalen,

Köln, Bonn, im Sauerland und in der Schweiz, wohin sich ihre Schwester Jenny verheiratet hatte. Als diese an den Bodensee umsiedelt, macht Annette sich auf die zweihundertstündige Kutschfahrt nach Süden. Dort verbringt die Dichterin der „Judenbuche" auch ihre letzten zwei Lebensjahre. Sie stirbt 1848 auf der Meersburg.

Annettes Land ist das „platte" Münsterland, mit Feldern und Wiesen, baumbestandenen Alleen und Mooren. Dabei erhebt sich nur wenige Kilometer von ihrer Geburtsstätte entfernt eine Hügelkette, die die Landschaft nicht nur als geologische Formation geprägt hat. Denn hier in den Baumbergen wird der Sandstein gebrochen, der neben den Ziegeln wichtigstes stilbildendes Baumaterial des Münsterlands war, mal als gliedernde Verblendung, mal als ausschließliches Baumaterial wie am Dom zu Münster. Die Baumberge erheben sich auf für die Gegend stattliche 186 Meter. Die Anstiege sind jedoch leicht, die sanften Höhen ermöglichen hübsche Blicke auf buchenbewaldete Hänge und in die Täler, in denen Stever und Dinkel, Berkel und Vechte fließen.

Seit rund 1000 Jahren wird der „Baumberger", wie der Sandstein hier fast liebevoll genannt wird, abgebaut. Zahllose Bauwerke, Bildhauerarbeiten und sakrale Kunstwerke sind aus ihm entstanden, die es in der näheren und weiteren Umgebung zu erkunden gilt. Dazu wurde eigens vor einiger Zeit die

„Baumberger Sandsteinroute" als touristischer Pfad eingerichtet und markiert, die auch zu noch betriebenen Steinbrüchen führt.

Sogar ein eigenes Sandsteinmuseum gibt es inzwischen. Es ist in Havixbeck zu finden, dessen Ortsname „Habichtsbach" bedeutet. Das Museum zeigt schöne Steinmetzarbeiten und Skulpturen aus dem „Baumberger", zugleich aber auch, wie der Stein gebrochen und bearbeitet wird. Ein professioneller Bildhauer läßt sich bei der Arbeit über die Schulter schauen, und der Besucher kann auch selbst einmal den Meißel in die Hand nehmen.

Havixbecks prachtvolles Wasserschloß ist natürlich auch aus diesem Material erbaut. Mittelpunkt der hufeisenför

In den Baumbergen, der kleinen Hügelkette mitten im sonst flachen Münsterland, wird seit Jahrhunderten der helle Sandstein gebrochen, aus dem Häuser und Dome entstanden – aber auch die Heiligenkreuze, die sich überall am Wegesrand finden.

For centuries pale sandstone has been quarried in the Baumberge, a small chain of hills in the otherwise flat Münsterland, and used to build houses and cathedrals – and wayside crosses, a regular feature of the countryside.

migen Anlage ist das Herrenhaus mit dem Treppenturm, die 1562 fertiggestellt wurden. Der Dreistaffelgiebel mit den kugelbesetzten Muschelaufsätzen ist weithin zu sehen.

Nicht weit entfernt steht Haus Stapel, das ab 1819 ebenfalls aus Baumberger Sandstein errichtet wurde. Es ist eines der wenigen klassizistischen Wasserschlösser. Ein ganzer Wald wurde abgeholzt und ein kompletter Steinbruch leergeräumt, um das überaus große Herrenhaus zu errichten. Aber was blieb dem Bauherrn Ernst Konstantin von Droste-Hülshoff auch anderes übrig, mußte er doch Platz für 22 unverheiratet gebliebene Kinder schaffen! Einen Kontrast zu den strengen Formen des Haupthauses bildet die große Vorburg, die eine für diesen Zweckbau sehr noble Gestaltung zeigt. Nach neueren Meinungen hatte auch hier Johann Conrad Schlaun seine Hand im Spiel.

Die hellen Steine der heimatlichen Berge wollte auch der Besitzer von Darfeld, Jobst von Vörden, für die Verwirklichung seines „italienischen Traums" nutzen: Er beauftragte 1612 den münsterschen Bildhauer Gerhard Gröninger, ein „zierliches künstliches beständiges Bauwerk" zu errichten: Schloß Darfeld. Gröningers Entwurf orientierte sich am Prächtigsten, was die Profanarchitektur der Zeit vorweisen konnte, an der Vorhalle des Kölner Rathauses sowie am französischen Manierismus. Es ist sogar davon die Rede, daß er einen Bau mit acht Flügeln errichten wollte, dessen zweistöckige loggienartigen Bogengänge einen Binnenhof umschließen sollten. Wie dem auch sei: Selbst wenn das, was tatsächlich entstand, ein Torso ist, so gehört er zu den zauberhaftesten Schloßanlagen des ganzen Landes. Zwei Flügel stehen, der herrliche Galeriebau

spiegelt sich im großzügigen Teich, auf dem Wasserrosen blühen – Schloß Darfeld hat etwas Verwunschenes. Im einst barocken und dann englisch umgestalteten Park steht ein elegantes Gartenhaus, die sogenannte Antoinettenburg. Sie wurde 1757 von Schlaun geschaffen, der es auch hier verstand, mit einem kleinen, aber in sich großartig durchgestalteten Gebäude seine Handschrift zu hinterlassen.

Eingebettet in die Baumberge sind etliche der kleinen, typisch münsterländischen Landstädtchen, die sich in den letzten Jahren kräftig herausgemacht haben. Ihr Charakteristikum ist das Nebeneinander von Städtischem und Ländlichem, von Schützenfest und Rockkonzert. Eines davon ist Billerbeck, dessen Historie bis in Liudgers Zeiten zurückgeht. Der Missionar und Bischof von Münster starb hier 806, nachdem er zuvor in der von ihm gegründeten Johanni-Kirche die Messe gelesen hatte. Das Gotteshaus ist eines der bedeutendsten Beispiele der Spätromanik in Westfalen. Liudgers „Sterbekapelle" ist in den neugotischen Ludgerus-Dom integriert, dessen fast 100 Meter hohe Türme die Stadt seit 1898 überragen.

In dem historisch gewachsenen Ortsbild von Billerbeck stößt man immer wieder auf schön renovierte Häuser vergangener Jahrhunderte, bei denen der helle Sandstein als gestaltendes Element eingesetzt ist. Ein Steinhändler hat sich 1575 das Haus Münsterstraße 25 erbaut.

Hausforscher betrachten es als ein gutes Beispiel für bürgerliches Bauen in einer münsterländischen Kleinstadt, hat es doch mit Dreistaffelgiebel, der heute leider nicht mehr existiert, und der unterkellerten Saalkammer deutlich münstersche Vorbilder nachgeahmt. Wenige Meter weiter steht das Haus Beckebans, ein ehemaliger Burgmannshof aus der zweiten Hälfte des 16. Jahrhunderts. Arnd Bitters von Raesfeld hatte das zweigeschossige Gebäude mit dem hohen Renaissance-Giebel errichten las-

Saftige Weiden und kleine Wäldchen sind charakteristisch für das Münsterland, und sie finden sich in der Ebene ebenso wie auf den sanften Hügeln der Baumberge.

Lush meadows and copses are characteristic of Münsterland, and they are to be found both in flat and open country and in the undulating Baumberge hills.

sen. Es verdeutlicht den Übergang vom städtischen Adelshof zum reichen Bürgerhaus. Mit der Kolvenburg, einem einfachen, kubischen Bau, dem zehn Bauperioden die heutige Gestalt gegeben haben, besitzt Billerbeck ein typisches Beispiel eines Wohnsitzes des niederen Adels; hier ist heute das Kulturzentrum des Kreises Coesfeld zu finden.

Die Kreisstadt Coesfeld hat schon seit 1197 Stadtrechte. Der Verleihung folgte sofort der Bau einer Stadtmauer, deren ovaler Verlauf noch heute im Stadtbild ablesbar ist. Ab 1300 ist Coesfeld (sprich: Kohsfeld; es handelt sich um ein Dehnungs-E) Mitglied der Hanse und erlebt eine wirtschaftliche Blüte.

Dem Missionar des Münsterlands, dem Heiligen Ludgerus (Liudger), ist der neugotische „Dom" mit seinem prächtigen Altar in Billerbeck geweiht. Die Sterbekapelle von Ludgerus ist in den südwestlichen Turm integriert.

This neo-Gothic "cathedral" in Billerbeck, with its magnificent altar, is dedicated to St Ludgerus (Liudger), the missionary who converted Münsterland to Christianity. The chapel where he died forms part of the south-west tower.

Auch vom verheerenden Dreißigjährigen Krieg erholt sich die Stadt schnell wieder. Der Bau einer Zitadelle und die Planung einer (nie ausgeführten) Residenz für den münsterschen Bischof fördern die Entwicklung der Stadt; nur Ruinen sind von dieser Ludgerusburg geblieben. Coesfeld ist heute ein schmuckes Sub-Zentrum, wie es im Geographen-Jargon heißt, mit einer Fußgängerzone, modernen Geschäften, ländlichen Tupfern wie dem Grünmarkt und typischen münsterländischen Kneipen. Die Stadt lebt im wesentlichen von der Textilindustrie und der Maschinenfabrikation.

Einige Kilometer östlich von Coesfeld liegt Nottuln, das seine Wurzeln wohl in einem adligen Kanonissenkloster des 9. Jahrhunderts hat; der Überlieferung nach soll Heriburg, die Schwester des Missionars Liudger, es gegründet haben. Im 15. Jahrhundert in ein freiweltliches Damenstift umgewandelt, bot die Stiftsimmunität „das typische Bild eines Klosters mit Mühle, Back- und Brauhaus, Bauhaus, Hospital, Siechenhaus, Leprosenhaus, Amtmannei und Abtei". 1748 brannten Dorf und Stift nieder – die Pläne für den Wiederaufbau entwarf kein Geringerer als Johann Conrad Schlaun. Parallel zur Achse der Kirche und zum Nonnenbach legte er eine Lindenallee an, an der die Adelshöfe (Kurien) und Wirtschaftsgebäude des Stifts entstanden. Schlauns Pläne wurden nie ganz verwirklicht, sind aber in ihren An-

sätzen auch heute noch, vor allem nach der Sanierung des Nottulner Ortskerns, zu erkennen. Ein Spaziergang durch den Stiftsbezirk führt unter anderem vorbei an der Alten Amtmannei, wo der Verwalter des Klosters seinen Sitz hatte. Als wichtigstes Gebäude errichtete es Schlaun auch direkt nach dem Brand 1748 neu: aus rotem Backstein und gelbem „Baumberger" an Fenstern und Türen. Zwei Jahre später war die Aschebergsche Kurie fertig, die Residenz der Nottulner Äbtissin Ursula Sophia von Ascheberg. Das im schönsten münsterländischen Barock erbaute Haus mit dem wappenbekrönten Portal dient heute der Gemeindeverwaltung als Ratssaal. Die „barocke Leichtigkeit", eine Spezialität Schlauns, ist trotz der modernen Veränderungen immer noch an der ehemaligen Kurie von Senden zu erkennen. Eine Freitreppe führt zum Portal mit der Wappentafel, ungewöhnlich ist der Erker aus Baumberger Sandstein am unteren Geschoß des Ostgiebels, ein hohes Krüppelwalmdach schließt das reizvolle Gebäude ab.

In Nottulns Ortsmitte findet sich eine der inzwischen selten gewordenen Blaudruckereien, die zugleich die älteste in Nordrhein-Westfalen ist. Im 17. Jahrhundert mit dem aufblühenden Ostindien-Handel auch in Deutschland eingeführt, hat sich die Stoffdruckerei mit Indigo in den leinenerzeugenden Regionen Deutschlands eingebürgert und im 19. Jahrhundert die größte Verbreitung gefunden. Die weißen Motive auf blauem Grund zeigen auch heute noch „indianische" Blumen, Palmetten und Granatapfelblüten, aber auch figürliche Darstellungen wie Adam und Eva und die Auferstehung Christi. In Nottuln werden die Stoffe nach einem alten „Rezeptbuch" von 1833 bearbeitet und mit alten Modeln bedruckt.

Burg Hülshoff war schon
dreieinhalb Jahrhunderte im
Familienbesitz, als Annette
von Droste-Hülshoff hier
am 12. Januar 1797 geboren
wurde. Mitte des 16. Jahrhunderts war das große
Herrenhaus mit dem nied-
rigen Seitenflügel mitten im
Hausteich erbaut worden.
Ein gründlicher Umbau
1798 machte aus der mittelalterlichen Burg ein wohn-
liches Schloß. Nur für die
Westwand des Hauses wurde
heller Baumberger Sand-
stein verwendet, die übrigen
Gebäudeteile sind aus roten
Ziegeln aufgemauert und
mit Werksteinen verblendet.

Burg Hülshoff had been
owned by the familiy for
three and a half centuries
when Annette von Droste-
Hülshoff was born here
on 12 January 1797. The
large manor house with its
squat side-wing was built
in the middle of the castle
pond in the mid-sixteenth
century. Comprehensive
conversion in 1798 trans-
formed the mediaeval castle
into a comfortable country
house. Pale Baumberg
sandstone was used for the
western wall only, the
others being laid in red
brick and clad in building
stone.

Vom Garten aus ist es ein
adliges Landhaus, die Hofseite gibt es als bäuerliches
Gut zu erkennen: Johann
Conrad Schlaun schuf mit
Haus Rüschhaus, das er sich
und seiner Familie 1745–49
als Sommersitz vor den
Toren Münsters erbaute,
eine einzigartige Mischung.
In dem kleinen Anwesen
verbrachte Westfalens be-
deutendste Dichterin, Annette von Droste-Hülshoff, einen wesentlichen Teil ihres
Lebens. Schlaun hatte einen
streng geometrischen Garten
angelegt, der von späteren
Bewohnern nie verändert
und Anfang der achtziger
Jahre völlig wiederherge-
stellt wurde.

From the garden it looks
like a noble country seat,
but the courtyard shows it to
be a farm. In Haus Rüsch-
haus, which he built in
1745–49 outside Münster
as a summer residence for
himself and his family, the
architect Johann Conrad
Schlaun succeeded in creating a unique combination.
Westphalia's most distin-
guished poetess, Annette
von Droste-Hülshoff, spent
a substantial part of her life
on this small estate. Schlaun
designed the garden along
strict geometrical lines.
Never altered by later resi-
dents, it was completely
restored in the early 1980s.

Schlauns beschwingte Tor-
pfeiler geben den Blick auf
das Renaissance-Schloß
Havixbeck frei. An den Mit-
telflügel schließen sich zu
beiden Seiten Gebäude-
reihen an, deren malerisch
bewegte, ansteigende Dach-
linien zum Herrenhaus
hinführen. Der Vorbau mit
dem Portal ist schon barock,
während sich hinter den
Mauern der noch in mittelalterlicher Tradition mit offener Balkendecke erbaute
Rittersaal erstreckt. Haus
Havixbeck ist ganz aus
Baumberger Sandstein er-
richtet, der in der Gegend
ansteht und auch heute noch
gebrochen wird.

Schlaun's soaring gateposts
reveal a view of the Renaissance castle of Havixbeck.
The central wing is connect-
ed on both sides to rows
of buildings whose pictur-
esquely rising roof lines
guide the gaze to the manor
house. Porch and portal are
in the Baroque style, while
the Rittersaal (Knights'
Hall), which extends behind
the walls, is built in the
mediaeval tradition with an
open-beamed ceiling. Haus
Havixbeck was completely
constructed of Baumberg
sandstone which outcrops in
this area and is still quarried
today.

Der Architekt war eigentlich
Bildhauer, und vielleicht
deshalb hat Schloß Darfeld
mehr von einer Skulptur als
von einem Gebäude. Groß-
artiges hatte sich Hausherr
Jobst von Vörden 1612 ge-
wünscht – und es auch
bekommen. Aber möglicher-
weise ist es auch nur ein
Fragment geblieben, denn es
heißt, das Schloß sei als
achtflügelige, also ringförmig geschlossene Anlage
geplant gewesen. Als zwei
Flügel fertig waren, kam es
zum Streit zwischen Bau-
herr und Architekt, die
Arbeiten wurden eingestellt.
Auch als Torso ist Darfeld
zauberhaft, vor allem, wenn
es sich im großen Hausteich
spiegelt.

Its architect was actually a
sculptor, and maybe that is
why Schloss Darfeld has
more the air of a sculpture
than of a building. Jobst von
Vörden, who commissioned
the building in 1612, asked
for something grand – and
got it. However, it may only
be a fragment, for the castle
is said to have been de-
signed with an eight-winged
enclosed-circle layout.
When two wings were com-
pleted there was an argu-
ment between client and
architect, and work was
stopped. Yet even as a fragment Darfeld is magical,
above all when reflected in
the large castle pond.

D er Name ist eine Untertreibung: Denn die „100-Schlösser-Route" weist den Weg zu nicht weniger als 150 münsterländischen Wasserschlössern, Burgen, Herrensitzen und Gräftenhöfen. Wo also anfangen? Am einfachsten ist es natürlich, man nimmt sich drei Wochen Zeit, pumpt die Reifen des Drahtesels gut auf und macht sich auf den „Patt". Dann verpaßt man nichts und hat zum Schluß die gesamten 2000 Kilometer abgeradelt, geleitet von 14 000 Schildern: grün für die Hauptwege, schwarz für die Verbindungspfade. Nichts wird ausgelassen: weder die Ruine des ehemaligen Zisterzienser-Nonnenklosters Gravenhorst in Hörstel noch das schon im Niederrheinischen liegende Schloß Schermbeck, nicht Kloster Marienfeld bei Harsewinkel noch Haus Penekamp bei Anholt. Und wer dann immer noch nicht genug hat, kann sich grenzüberschreitend auf die niederländische „Kastelenroute" machen.

Auch wenn die Route mit Hopsten und Westerkappeln schon den Kamm des Teutoburger Waldes überspringt, ist dieser Bergrücken doch eine Art natürliche nördliche Begrenzung des Münsterlands. Das an seinen Hang gebaute mittelalterliche Städtchen Tecklenburg überblickt die Weite der Ebene, bei klarem Wetter bis nach Münster hin. Zu seinen Füßen, hingeduckt in einer Geländemulde, steht Haus Marck, ein kleiner, im Stil der Renaissance erbauter adliger Landsitz. 1831 erblickte hier Friedrich von Bodelschwingh (gest. 1910) das Licht der Welt, der „Vater der Armen" und Begründer der nach ihm benannten Heilanstalten in Bethel. Der Sohn des späteren preußischen Finanz- und Innenministers, der eng mit Kaiser Friedrich befreundet war, studierte Theologie und arbeitete als Landpfarrer. Gegen Ende seines Lebens ließ er sich in den preußischen Landtag wählen, um seinem sozialen Werk besser dienen zu können.

Im heutigen Bundestag dagegen sitzt der Hausherr der Surenburg bei Hörstel, einer Wasserburg der Renaissance, die von einer herrlichen alten Parkanlage umgeben ist. Constantin Freiherr Heereman von Zuydtwyck, der „Bauernpräsident", residiert in dem hufeisenförmigen Herrenhaus aus Bruchsteinen, zu dem eine wunderbare Buchenallee führt.

Landschaftlich bietet das tecklenburgische Münsterland, also das Gebiet von Mettingen und Hopsten, Recke und Hörstel, eine bunte Mischung: Heidelandschaft bei Ladbergen, Moore wie bei Mettingen und vor allem der größte Natursee Westfalens, das „Heilige Meer" zwischen Recke und Hopsten, dessen Name beschwörend gemeint war, weil es mit seiner Tiefe und Düsternis den Menschen angst machte. Dies war einst das Land der Tödden oder Tüötten, unternehmungslustiger Handelsreisender aus dem nördlichen Münsterland. Sie brachten von den Friesen die Kunst des Webens und Färbens in ihre Heimat und machten daraus einen einträglichen Nebenerwerb. Der Verkauf der Stoffe weit über Land brachte erkleckliche Reichtümer ein, und manches bedeutende Textilunternehmen hat seinen Ursprung in einem Tödden. Ein naher „Verwandter" ist übrigens der Kiepenkerl, der münsterländische Landbote, der mit dem Tragkorb auf dem Rücken zwischen Stadt und Land hin- und herwanderte und den Waren- und Nachrichtenaustausch besorgte.

Ein typisch münsterländisches Städtchen ist Steinfurt, das als Kreisstadt die Verniedlichung sicher gar nicht gern hört. Es gehört zu jenen Subzentren, die sich in den letzten Jahren ordentlich gemausert haben und deren Lebensqualität zunehmend geschätzt wird. Mittelpunkt des Ortes ist das Renaissance-Rathaus mit seiner bogenüberdachten Laube im Erdgeschoß. Ringsherum sind etliche Wohnhäuser aus den letzten Jahrhunderten erhalten, darunter das Haus Bütkamp Nr. 3 mit seinem Dreistaffelgiebel, das 1584 errichtet wurde. Im Ortsteil Burgsteinfurt steht die gleichnamige Burg, eine der gewaltigsten Wehranlagen des Münsterlands, deren ringförmiger Grundriß noch die ursprüngliche „Motte" erkennen läßt. Seit der zweiten Hälfte des 12. Jahrhunderts ist die Burg ständig erweitert und umge-

baut worden, ihren wehrhaften Charakter hat sie aber bis heute nicht verloren. Da nur Gruppen zugelassen sind, bleiben dem einzelnen Besucher die baulichen Kostbarkeiten des Schlosses verborgen: die Doppelkapelle mit dem spätromanischen Stufenportal, der Rittersaal mit seinen vier Kreuzgewölben, die Kemenate mit dem riesigen Kamin und die Renaissance-Auslucht der Gräfin Walburg, ein reich dekorierter Erker, der unter anderem ein Relief der Gräfin-Witwe und ihres früh gestorbenen Gemahls zeigt.

Für alle offen – und dies schon seit 1780 – ist das naheliegende Bagno, ein ausgedehnter Landschaftspark, den Graf Ludwig von Bentheim nach französischem Muster anlegen ließ. Von Anfang an war es sein Ziel, eine Touristenattraktion zu schaffen und den Fremdenverkehr zu fördern, ein für das 18. Jahrhundert außerordentlich fortschrittlicher Gedanke. 49 Sehenswürdigkeiten, von künstlichen Ruinen über Grotten bis zum Badehaus, das der Anlage ihren Namen gab, warteten einst auf die Lustwandelnden; nur ein Wachhaus von 1806 und der frühklassizistische Konzertsaal sind erhalten.

Steinfurt nahm während seiner langen Geschichte immer wieder eine Ausnahmestellung ein: Mal traf es der päpstliche Bann, weil Ludolf von Steinfurt 1395 den münsterschen Bischof gefangengenommen hatte, der Gebietsansprüche an ihn stellte; mal war es reichsunmittelbar, weil Everwyn I. von Steinfurt sich im Türkenfeldzug auf die Seite des Kaisers gestellt hatte. Und schließlich bildete es zusammen mit Gemen lange Zeit die einzige protestantische Enklave im ansonsten katholischen Münsterland, nachdem Graf Adolf III. 1564 Luthers Lehre eingeführt hatte.

Das nur wenige Kilometer südöstlich von Steinfurt gelegene Horstmar fällt durch seinen geradlinigen Siedlungsgrundriß innerhalb eines Rechtecks auf. Er ist Folge des planmäßigen Ausbaus, nachdem die Burg 1269 in den Besitz des Stifts Münster kam. Doppelwall, Graben, Mauer und Tore schützten die kleine Siedlung. Die St.-Gertrud-Kirche, eine Hallenkirche des späten 14. Jahrhunderts, und das im Kern mittelalterliche Rathaus bildeten den Mittelpunkt, der Markt lag einst außerhalb der Stadt. Entlang der ehemaligen Stadtmauer entstanden schon im 14. Jahrhundert die Burgmannshöfe, kleine Gehöfte jener Lehensleute, die innerhalb der Burg lebten, um sie zu verteidigen; fünf davon sind in Horstmar erhalten.

Die Abhänge des Wiehengebirges sind der „Balkon des Münsterlands". Von der bizarren Felsformation der Dörenther Klippen aus hat man einen besonders schönen Blick in die Ebene.

The Wiehengebirge slopes are known as Münsterland's "balcony". From the bizarre rock formations of the Dörenther Klippen there is a particularly fine view of the plain.

Über sanfte Hügel geht der Weg ins nahegelegene Schöppingen. Seine Pfarrkirche St. Brictius war Zentrum einer der Urpfarreien des Münsterlands und wurde einst auf einer Erhebung über einer Quelle errichtet. Schmuckstück ist der Flügelaltar des nach dem Aufstellungsort benannten Meisters von Schöppingen; die Gemälde sind bald nach dem Brand der Kirche 1453 entstanden. Schmuck ist auch das kleine Rathaus des Ortes, dessen weißverputzte Fassade mitten in der Stadt über die Häuser ragt. Der Dreistaffelgiebel mit den kugelbesetzten, halbkreisförmigen Aufsätzen gibt dem Gebäude ein nobles Aussehen.

Schon bald nach Ende des Dreißigjährigen Krieges begann im Münsterland wieder eine rege Bautätigkeit. Viele Burgen und Schlösser sind 1648 zerstört oder geplündert – günstige Voraussetzung für den Wiederaufbau unter neuen Vorzeichen. Denn die alten, wehrhaften Burgen genügen nun den neuen Ansprüchen an Wohnlichkeit und Repräsentation nicht mehr. Die münsterländischen Bauherren halten an der Tradition der Wasserburg fest, doch dienen die Gräben jetzt nicht mehr nur dem Schutz, sondern sind auch Symbol für Vornehmheit. Dennoch gab es Vor- und Hauptburg und Zugbrücken, so, als traute man dem Frieden noch nicht so recht.

Ein schönes Beispiel für die vorsichtige Öffnung nach außen, die die Landschaft in den Bau einbezieht und alles ordnend gliedert, ist Schloß Westerwinkel in

Herbern nahe Ascheberg, halb noch Wehrbau, halb schon Schloß. Der Besucher muß ein gutes Stück zu Fuß entlang der Südfront, dann der Westfront zurücklegen, immer der im rechten Winkel die Hauptburg umgebenden Gräfte folgend, ehe er vor dem kleinen Torhaus steht. Westerwinkel präsentiert sich als abweisender, wuchtiger Wehrbau. Vier Flügel umschließen einen kleinen, intimen Innenhof. Lange Reihen altertümlicher Steinkreuzfenster gliedern die Fassaden. Nur die in den Wappenfarben gestrichenen Fensterläden bringen ein wenig Leben in die langgestreckten Fronten. Das Dach ist schlicht, die Hauben der vorspringenden Eckpavillons zeigen aber barocken Schwung.

Westerwinkel ist zum Teil privat bewohnt, aber das Erdgeschoß steht für Besichtigungen offen. Im Gobelinsaal bedecken flandrische Wandteppiche die Wände, von der typisch westfälischen, stucküberzogenen Balkendecke hängen bunte Lüster aus Muranoglas. Der kleine Speisesaal ist mit reich geschnitzten Eichenpaneelen getäfelt, im Schlafzimmer stehen Waschgeschirr und Reisegepäck mit ausgeklügelten Utensilien. Französische Barockschlösser standen Pate, als die münsterländischen Adligen im 17. Jahrhundert begannen, ihre Wasserburgen symmetrisch anzulegen.

Das mittelalterliche Rathaus von Horstmar gehört zu den Schmuckstücken der kleinen Stadt, die bis ins 16. Jahrhundert Lieblingssitz der Bischöfe von Münster war.

Horstmar's mediaeval Rathaus is one of the jewels of a small town which was a favourite seat of the bishops of Münster until the sixteenth century.

Dietrich Konrad Adolf von Westerholt-Hackfurt, Herr auf Lembeck, gab diesem Gestaltungselement Ende des Jahrhunderts eine originelle Variante: Die Achse führt nicht auf das Schloß zu und endet nicht am Herrenhaus – sondern sie scheint sie zu durchdringen und setzt sich in der Weite des heute nicht mehr vorhandenen Barockgartens fort, um schließlich in einer Waldschneise aufzugehen. Die „durchdringende Achse" wird kurze Zeit später in Nordkirchen und Münster aufgegriffen und gesteigert. Im übrigen ist die Aufreihung der Gebäude an einer begehbaren Achse in der Baukunst des Barock selten und eigentlich nur noch mit einem Parallelbeispiel, dem Schloß Schönbrunn in Wien, zu vergleichen. In Lembeck beginnt der Weg weit entfernt von der Vorburg bei einer rund 200 Meter langen Allee, führt durch den Torturm und über den Wirtschaftshof hinweg auf das Herrenhaus zu. Hier wartet eine prächtige Ausstattung auf den Besucher: Stuckdecken und Kamine, von den Gräfinnen selbst bemalte Tapeten, eigens in China für die Familie hergestelltes Porzellan mit dem blauen Wappen der Grafen von Merveldt – und schließlich der wunderbare Festsaal. Seine zarten Stukkaturen, die Eichenholzvertäfelung und die gemalten Supraporten hat wieder Johann Conrad Schlaun entworfen; sie bilden heute den Rahmen für stilvolle Feiern, denn der repräsentative Raum mit dem Tisch für 80 Personen wird vermietet.

Das Urbild einer münsterländischen Wasserburg dagegen ist Burg Vischering in Lüdinghausen. Sie ist aus einer alten Ringmantelanlage des 13. Jahrhunderts entstanden und seit 1622 kaum verändert worden. Das mittelalterliche System von Wall und Graben ist hier geradezu meisterhaft ausgebildet. Die Hauptburg ist mit der trapezförmigen Vorburginsel durch einen Holzsteg verbunden. Beides umfaßt ein heute begehbarer Ringwall, der seinerseits ursprünglich von einem breiten Graben umgeben war. Zugang zur Burg ermöglicht eine langgestreckte Insel, auf der Torhaus und Kapelle stehen. Vischering ist nicht auf einem natürlichen oder künstlichen Hügel, der „Motte", errichtet, sondern ein starker Mauerring steigt unmittelbar aus dem Wasser auf und trägt die Wohnbauten. Pfahlroste bilden das Fundament – ein sensibler Unterbau, denn die eichenen Stützen müssen

Was einst abweisend und bedrohlich wirkte, mutet uns heute romantisch an: Burg Vischering in Lüdinghausen hat noch alle Charakteristika einer mittelalterlichen Festung bewahrt.

Burg Vischering in Lüdinghausen may once have looked awesome and threatening, but today it looks romantic, having retained all the features of a mediaeval fortress.

stets vollständig von Wasser umgeben sein, sonst faulen sie. Anfang dieses Jahrhunderts trat diese Gefahr wegen des gefallenen Grundwasserspiegels auf, und so wurde 1927 – 29 das Wasser künstlich um 15 Meter abgesenkt und ein Betonkranz um die Außenfundamente der Burg gelegt.

Eine romantische Atmosphäre umgibt Vischering; sie wird noch gesteigert, wenn der Kreis Lüdinghausen, der hier ein Kulturzentrum eingerichtet hat, zum Klavierkonzert im Rittersaal oder zum Weihnachtsbasar einlädt. Eher gruselig wird's angesichts des berühmt-berüchtigten „Halsbandes" des Lambert von Oer, das im ersten Stock ausgestellt ist. Es handelt sich dabei nicht um ein zierliches Schmuckstück, sondern um ein innen mit Dornen gespicktes eisernes Band. Bei Erbstreitigkeiten wurde der unglückliche Lambert überfallen; sein Peiniger ließ ihm den grausamen Halsschmuck umlegen. Erst Jahrzehnte später fand sich ein beherzter Schmied bereit, den mittlerweile Achtzigjährigen zu befreien. Er stellte seinen Amboß im Dom zu Münster auf und zerschlug mit drei gewaltigen Schlägen den Eisenring. Nahe der Stadt Dülmen im südlichen Münsterland hat sich eines der schönsten Naturschauspiele Deutschlands, ja vielleicht Europas erhalten: die Wildpferdebahn im Merfelder Bruch. Struppiger Wald, Erlenbrüche, Heide- und Moorniederungen waren schon immer der bevorzugte Lebensraum halbwilder Pferde. Der Emscherbruch, die Davert, der Duisburger Wald, die Senne und eben der Merfelder Bruch beherbergten einst große Herden. Nur in dem Reservat bei Dülmen haben sie dank des Engagements der Herzöge von Croy, denen das Gebiet seit Jahrhunderten gehört, überlebt.

Rund 200 Hektar stehen den etwa 200 Pferden zur Verfügung, die hier in fast völliger Freiheit leben. Nur in sehr kalten Wintern werden sie gefüttert, auch für Wasser wird vor allem in heißen

Sommern gesorgt. Ansonsten müssen die Wildlinge mit Krankheiten und Geburten selbst fertig werden, und mancher Winter läßt etliche Tiere völlig abgemagert zurück. Echte Wildpferde und entlaufene Bauernpferde haben sich hier über die Jahrhunderte vermischt, die Spuren der Domestizierung sind schon äußerlich ablesbar. In den Adern der Falben und der Grauen fließt jedoch noch das Blut ihrer wilden Vorfahren; der Aalstrich, die schwarze Linie von der Mähne bis zum Schweif, ist sichtbares Zeichen. Wer die Wildpferde in ihrer natürlichen Umgebung erleben will, muß sich frühmorgens auf den Weg in die Wildbahn machen. Dann ziehen die Tiere auf ihren angestammten Wechseln in langen Reihen aus dem Unterholz hinaus in das Weideland, Gruppe für Gruppe, jede mit einer alten Stute an der Spitze. Die Fohlen halten sich dicht bei der Mutter, die wachsam Augen und Nüstern geöffnet und die Ohren aufgestellt hat. Nur 1,15 – 1,35 Meter sind die Tiere groß, deren Verhalten sich hier in aller Ruhe studieren läßt: die Wichtigkeit des Familienverbands, das Sozialverhalten und die Hautpflege, die Mutter-Kind-Beziehung und das Liebesspiel.

Jedes Jahr im Mai werden die Junghengste aus der Herde herausgefangen und versteigert, gelten sie doch als widerstandsfähige Zucht- und Arbeitstiere.

Das Schauspiel in der Arena, wenn mutige junge Männer in weißen Drillichjacken und bunten Mützen die Auserkorenen absondern, ihnen ein Halfter über den Kopf werfen und sie dann in langem Ringen bezwingen, ist voll urtümlicher Kraft und zieht alljährlich Tausende von Touristen in den Merfelder Bruch.

Apropos Touristen: Die ersten Reisenden, deren vorübergehender Aufenthalt im südlichen Münsterland belegt ist, waren – wie könnte es anders sein – die Römer. Um die Zeitenwende errichteten sie nahe Haltern einen großen Militärstützpunkt, bestehend aus zwei Legionslagern, einem Uferkastell, einem Anlegeplatz am alten Lippeufer und einem weiteren Kastell auf dem Annaberg. Die Funde aus den Ausgrabungen sind im modernen Römermuseum in Haltern ausgestellt und vermitteln einen guten Einblick in römisches Leben in Westfalen zur Zeit des Kaisers Augustus. Damals gab es freilich den großen Stausee noch nicht, der sich zum beliebten Ausflugsziel entwickelt hat. Haltern ist Station der neu aufgelegten „Römerroute", die von Xanten nach Detmold führt und in erster Linie für Radfahrer gedacht ist. Sie folgt ungefähr jener Strecke, die die römischen Legionen aus ihrem Lager Vetera am Niederrhein bis in die Gegend von Detmold im Teutoburger Wald zurücklegten – zu Fuß natürlich. Ein roter bzw. grüner Römerhelm weist den Weg, der 280 Kilometer lang ist und durch 20 Städte und Städtchen führt.

Der Heilige Nepomuk schützt das Beichtgeheimnis, aber auch vor allen Gefahren, die vom Wasser drohen. Deshalb findet sich sein Standbild oft auf Brücken wie hier am Zugang zu Burg Vischering.

St Nepomuk is the patron saint of the confessional. He also affords protection from the perils of water. That is why his statue is often to be found on bridges, as here on the bridge over the moat to Burg Vischering.

Ein schmuckes Torhaus aus
Fachwerk bildet den Zugang
zu Schloß Burgsteinfurt,
einer der eindrucksvollsten
und gewaltigsten Wasser-
burgen des Münsterlands.
Durch das Portal führt der
Weg auf die Vorburginsel,
die eine wehrhafte Ring-
mauer umgibt. Die auf einer
eigenen Insel liegende ellip-
tische Hauptburg steht auf
einem künstlich aufgeschüt-
teten Hügel, der sogenannten „Motte". Die Wehrhaf-
tigkeit stand beim Bau der
Burg ab dem 12. Jahrhun-
dert im Vordergrund,
und das konnten auch die
An- und Umbauten späterer
Jahrhunderte, die mehr
Wohnlichkeit bringen sollten, nicht kaschieren.

A neat half-timbered gate-
house marks the entrance to
Schloss Burgsteinfurt, one
of the largest and most im-
pressive moated castles in
Münsterland. Through the
portal the path leads to the
outer castle island, encircled
by a well-fortified wall. The
elliptical main castle stands
on its own island on an
artificial hill, known as the
"Motte." When the castle
was first built from the 12th
century on, fortification was
a priority, and the extensions
and alterations carried out
in later centuries, though in-
tended to make it more
residential, were unable to
disguise this fact.

Inmitten eines herrlichen
englischen Landschaftsparks
liegt Schloß Westerwinkel.
Der Bau von 1663–68 ist
wehrhaft und geschlossen,
die vier Flügel umrahmen
einen kleinen Innenhof.
Lange Reihen altertümlicher
Steinkreuzfenster gliedern
das schwere Mauerwerk,
die Fensterläden sind in den
Farben des Hauswappens
gestrichen. An den Ecken
der schlichten Außenfronten
stehen gedrungene Türme,
deren gestufte Hauben die
strengen Linien ein wenig
auflockern. Nur im Inneren
läßt Schloß Westerwinkel
erkennen, daß die An-
sprüche an Komfort gestie-
gen waren: Die Räume sind
großzügig und hell, und
die Ausstattung ist prächtig.

Schloss Westerwinkel is set
amidst a superb English-
style landscaped park. Dat-
ing from 1663 to 1668, the
building forms a well-fortified, unified whole, with the
four wings enclosing a small
interior courtyard. Long
rows of old-fashioned cross-
stone windows divide up the
heavy masonry, their shut-
ters are painted in the
colours of the house coat of
arms. The sturdy towers at
each corner of the simple
elevations have graduated
tops which break up the
severe lines a little. Only the
castle interior reveals that
expectations of comfort had
risen: rooms are generously
proportioned and light, with
magnificent furnishings.

Das weite Münsterland: Die flachen Landstriche sind zum Markenzeichen geworden, obwohl es durchaus auch Hügelketten wie die Baumberge gibt. Doch in unserer Vorstellung ist es das „platte" Münsterland, das zu Pättkestouren, den beliebten Ausflügen mit dem Rad auf den schmalen Pfaden, einlädt und das die nahen Niederlande schon erkennen läßt. Auch die Dörfer scheinen sich an den Boden zu schmiegen, nur die Kirchtürme und einige Windmühlen überragen sie. Die Hollicher Mühle hat die Zeit überdauert, ihre Flügel klappern immer wieder einmal im Wind. Oft sind die Mühlen zu Wohnungen umgebaut, manchmal sind sie als Denkmal alten Handwerks erhalten.

The wide open spaces of Münsterland: the region is usually identified with stretches of flat countryside, although it also has chains of hills like the Baumberge. But in people's minds Münsterland is "low" country, popular for bicycle rides along the narrow lanes and reminiscent of the nearby Netherlands. Even the villages seem to cling to the ground, with only church towers and a few windmills rising above them. Hollich Mill has withstood the test of time. Its sails still clatter in the wind now and again. Many mills have been converted into homes, while others have been preserved as a monument to ancient craft.

Ganz symmetrisch barock
und doch mittelalterlich
trutzig: Schloß Lembeck –
im 17. Jahrhundert erbaut –
gehört zu den ungewöhn-
lichen der ohnehin nicht
einförmigen Wasserburgen
des Münsterlands. Vor- und
Hauptburg stehen auf zwei
getrennten Inseln inmitten
des großen Hausteichs und
sind streng axial angeordnet.
Schon die nur eingeschos-
sige Vorburg macht einen
überaus repräsentativen Eindruck, die wuchtigen Eck-
türme mit den hohen
Dächern und geschweiften
Hauben suggerieren Wehr-
haftigkeit. Neben dem lin-
ken Turm lugt die welsche,
also mehrstufig geschweifte
Bekrönung eines der Eck-
türme hervor, die das zweigeschossige Herrenhaus
flankieren.

Perfect Baroque symmetry
combined with a stalwart
mediaeval air: built in the
17th century, Schloss Lembeck is one of the more un-
usual of Münsterland's moated castles, which are in any
case not uniform. The outer
and main castles stand on
separate islands in the large
castle pond and are laid out
on a strict axis. Even the
single-storeyed outer castle
has a most imposing appear-
ance, and the solid corner
towers with their tall roofs
and curved tops suggest
strong fortification. Beside
the tower on the left you
catch a glimpse of the Ital-
ian-style curved top of one of
the corner towers flanking the
two-storeyed manor house.

Abweisend, trutzig und dabei äußerst malerisch: Was früheren Jahrhunderten notwendig war, um Feinde abzuwehren, empfinden wir heute als wohlig-romantisch. Paradebeispiel ist Burg Vischering. Kreisrund ist die Hauptburg mitten in die Gräfte gestellt, eine Zugbrücke sichert den Zugang. Die kleine, ab dem 13. Jahrhundert erbaute Burg hat ihre mittelalterliche Gestalt weitgehend bewahrt und gibt eine lebendige Vorstellung vom beengten Leben innerhalb der Festung; erst nach und nach werden komfortablere Anbauten vorgenommen, wie der kurze Flügel nach Westen mit der typisch westfälischen Auslucht. Ein kompliziertes System aus Wällen und Gräben schützt Burg Vischering.

Awesome, defiant and yet utterly picturesque: what was essential in former centuries to repel the enemy now seems blissfully romantic. Burg Vischering is a prime example. The perfectly round main castle sits surrounded by moats, a drawbridge secures the entrance. The small castle, first built in the 13th century, has largely retained its mediaeval design, and provides a vivid idea of the cramped conditions within a fortress. Over time more comfortable extensions were added, including the short west wing with its typically Westphalian oriel window. Burg Vischering was protected by a complicated system of ramparts and moats.

Schon mal Warendorfer Pferdeäpfel probiert? Eine wirkliche Spezialität der schmucken Kreisstadt mitten im östlichen Münsterland. Sie sind – in diesem Fall – aus zartschmelzender Trüffelschokolade hergestellt, symbolisieren aber einzigartig, worum sich in Warendorf vieles dreht: ums Pferd. 1826 gründete König Friedrich Wilhelm III. von Preußen das Landgestüt, aus dem zahlreiche berühmte Pferde hervorgegangen sind. Hineinschauen kann man zu jeder Jahreszeit in die weitläufige Anlage am Emssee, aber wirklich spannend wird's Ende September und Anfang Oktober, wenn die großen Hengstparaden angesagt sind. Schon Wochen vorher weisen aus Strohballen geformte aufgestapelte Pferde an den Ortseingängen auf das bedeutende Ereignis hin, das immer wieder Zehntausende anlockt. Kein Wunder, zeugen die gewagten Schaubilder und artistischen Vorführungen edler Warmblüter und massiger Kaltblüter doch von höchster Kunst und hervorragender Leistung. In der Stadt hat sich vor vielen Jahren auch das Olympische Komitee für Reiterei angesiedelt.

Warendorf war und ist vor allem Handelsstadt. Die Leinenherstellung war über viele Jahrhunderte wichtigster Erwerbszweig. Ende des 17. Jahrhunderts waren in der alten Hansestadt 389 Grobweber, Tuchmacher und -scherer, Linnentuch- und Baumseidenmacher registriert. Selbst der englische Königshof bezog Stoffe aus Warendorf. Ausstellungsstücke zur Stadt- und Textilgeschichte bewahrt das Heimathaus am Markt, in dem auch der Verkehrsverein seinen Sitz hat. Der Wohlstand bescherte dem Ort zahlreiche stattliche Bürgerhäuser, die inzwischen liebevoll restauriert worden sind. Kleine, individuelle Geschäfte sind in das Parterre eingezogen und machen Warendorf zum Anziehungspunkt für Einkäufer aus der ganzen Gegend.

Der Warendorfer Fettmarkt hat eine Tradition, die über die letzte Jahrtausendwende hinwegreicht. Alljährlich im Oktober strömen die Menschen zu diesem Ereignis, bei dem es Schweine und Pferde, Haushaltswaren, Bekleidung und Töpfe zu kaufen gibt. Etwas feierlicher, aber auch lärmend geht es bei Mariä Himmelfahrt zu, dem Fest, das seit über 200 Jahren am Samstag nach dem 15. August begangen wird. Acht Ehrenbögen künden schon einige Zeit vorher von dem Fest. Zwei wandernde Tischlergesellen hatten einst solche Triumphbögen zu Zeiten der Kaiserin Maria Theresia in Wien gesehen und sie nach Warendorf „importiert". Die blumenbekränzten und mit Engeln geschmückten Bögen werden abends von Zehntausenden Lichtern illuminiert und bilden den strahlenden Höhepunkt der Feier. Tags darauf tragen junge Mädchen in einer großen Prozession das Gnadenbild Marias durch die fahnenbunten Straßen. Und am Abend ist Zapfenstreich: Dann geht die religiöse Feier in das Bürgerschützenfest über, das bis Dienstag dauert. Da ist Trink- und Standfestigkeit Trumpf.

Ein Mariä-Geburts-Markt findet in jedem September im nahegelegenen Ort Telgte (das kommt von telge = Steckling, Eichenbäumchen) statt, und zwar schon seit 1616. Pferdemarkt, landwirtschaftliche Maschinen- und Geräteausstellung, Krammarkt, Kirmes und ein Reitturnier bilden das Programm.

Über 120 000 Menschen pilgern in jedem Jahr zum kostbaren Telgter Gnadenbild, das um 1370 aus Lindenholz gefertigt wurde und als „Schmerzhafte Muttergottes" im Ruf der Wundertätigkeit steht. Die ausdrucksstarke und in strengen Formen gearbeitete Pietà erhielt unter Fürstbischof Christoph Bernhard von Galen (1650 – 1678) ihr sechseckiges Domizil. Manch ein Student der Universität Münster legt als Stoßseufzer das Gelübde ab, nach bestandener Prüfung den rund zehn Kilometer langen Kreuzweg nach Telgte zu Fuß zurückzulegen ...

In Warendorf dreht sich alles ums Pferd, und das nicht nur bei den jährlichen Hengstparaden. Die Zuschauer sind begeistert, wenn schwere Kaltblüter und grazile Warmblüter kunstvolle Schaustücke zeigen.

Warendorf is an equestrian town and not just at the annual stallions' parade. Audiences are delighted by the heavy cold-blooded and the graceful warm-blooded animals as they perform their artistic tricks.

Gleich nebenan steht das Heimathaus Münsterland, ein bäuerliches Museum, das der Volkskunst und dem Brauchtum gewidmet ist. Es ist seit über 50 Jahren um die Jahreswende Schauplatz beliebter Krippenausstellungen. Aus ihnen hat sich inzwischen sogar ein eigenes Krippenmuseum entwickelt, in dem einzigartige alte und auch zeitgenössische Krippen aus vielen Ländern ganzjährig zu bewundern sind.

Die fünf Türme der Freckenhorster Stiftskirche sind im flachen Ostmünsterland von weit her zu sehen. „Bauerndom" wird die Kirche auch genannt, was angesichts ihrer kunsthistorischen Stellung als eines der bedeutendsten romanischen Bauwerke Westfalens nicht recht zu passen scheint. Die Jahreszahl 1129 im berühmten, wie eine Säulentrommel gestalteten und reich bebil-

derten Taufstein deutet auf die Weihe der Kirche hin. Zwei runde Treppentürme flankieren den Viereckturm des gewaltigen Westwerks, das als Bollwerk gegen böse Dämonen verstanden wurde. Der Mittelturm erhielt 1689 einen durch alle Geschosse laufenden eichenen Glockenstuhl, ein Meisterwerk der Zimmermannskunst. Der wunderbar schlichte Innenraum steht dem majestätischen Äußeren der Kirche in nichts nach. Die Verwendung von Travertin und Sandstein als Wandgliederung belebt die sonst sparsam geschmückte Basilika. Schon im 9. Jahrhundert ist das zur Kirche gehörende Kloster gegründet worden. Zunächst war es adliges Kanonissenstift, dann Augustinerinnenkloster und schließlich seit 1495 freiweltliches Damenstift. Auch in Freckenhorst steht noch die eine oder andere der Stiftskurien, in denen die klösterliche Verwaltung untergebracht war, und die ehemalige Abtei ist zum gräflichen Schloß geworden.

Nur drei Großburgen, die aus den schon erwähnten „Motten" enstanden sind, gibt es im Münsterland: Burgsteinfurt,

Gemen und Rheda. Hier in Rheda, am Rand des östlichen Münsterlands, ist die eindrucksvolle Konstruktion des Erdhügels besonders gut zu sehen. Zur Sicherung des Emsübergangs wurden gewaltige Erdmassen bewegt und zu einer ovalen „Motte" aufgeschüttet, auf deren „Gipfel" die Burg steht. Der älteste Teil der Wehranlage, der mächtige Torturm,

Die Prozession zu Ehren der „Glorreichen Jungfrau" gehört seit Jahrhunderten zu den Höhepunkten des Warendorfer Festkalenders. Junge Mädchen tragen das Gnadenbild durch die fahnengeschmückten Straßen.

The procession in honour of the "Glorious Virgin" has for centuries been a highlight of Warendorf's festive calendar. Young girls carry the wonderworking image through bunting-bedecked streets.

stammt aus der Zeit um 1230; Beziehungen zu syrischen Kreuzfahrerburgen des 12. Jahrhunderts sind an ihm erkennbar. Den unteren Teil des Turms nimmt die inzwischen veränderte Doppelkapelle ein, im Obergeschoß war der beheizbare Wohnraum. Gegenstück ist der „Lange Turm", ein gotischer Wohnturm mit Steinkreuzfenstern aus der Zeit um 1400.

Zwischen beiden sind nach und nach Wohnflügel entstanden, die dem steigenden Bedürfnis nach Komfort Rechnung trugen – und uns heute nachvollziehen lassen, wie sich die alte Großburg allmählich zum prächtigen Schloß wandelte. Ein architektonisches Meisterwerk ist der Renaissanceflügel vom Anfang des 17. Jahrhunderts mit der charakteristischen offenen Galerie im zweiten Obergeschoß. An ihn schließt sich der barocke Haupttrakt an,

ein Ziegelbau mit breitem Mittelrisalit an der Hof- und einer Säulenloggia an der Gartenseite.

Rheda sicherte einst den wichtigen Emsübergang an der Straße von Münster nach Paderborn. Die Stadt, die sich um die Burg entwickelt hatte, wurde 1969 mit dem benachbarten Wiedenbrück zusammengelegt, einer alten Bürgerstadt, deren reich geschmückte Fachwerkhäuser zu einem Bummel durch die Innenstadt einladen. Südlich von Wiedenbrück, nahe der Straße nach Lippstadt, findet sich ein unter all den münsterländischen Wasserburgen und Schlössern herausragendes Bauwerk: Haus Aussel. Ist es bäuerlicher Adelssitz oder adliges Bauernhaus? Eine Frage, die sich auch bei Schlauns Rüschhaus stellt. 1580 ließen sich die Herren von Amelunxen das hochaufragende Fachwerkhaus errichten. Die Familie entstammte einem alten ostwestfälischen Ministerialengeschlecht, eine gewisse Weltläufigkeit und Bildung waren ihnen selbstverständlich. Dies schlug sich in der Gestaltung ihres Herrensitzes nieder. Das Haus ist zwei-

stöckig, das Obergeschoß kragt vor, ein hohes Satteldach ist bis über die Eckerker gezogen. Reiches Schnitzwerk vor allem am Nordgiebel und an der Ostfassade gibt dem Gebäude ein kostbares Aussehen. Im Inneren fanden die Restauratoren überall Reste der herrlichen

Der Freckenhorster Dom ist schon von weit her sichtbar. Das romanische Bauwerk, auch als „Bauerndom" bekannt, wirkt ursprünglich und kraftvoll.

Freckenhorst Cathedral, a romanesque building also known as the "farmers' cathedral", can be seen from afar. It conveys an impression of powerful originality.

Renaissance-Malereien an den Deckenbalken. Haus Aussel ist vor etlichen Jahren sorgfältig renoviert worden und beherbergt heute ein Design-Zentrum.

Lippstadt gehört eigentlich nicht mehr zum Münsterland. Hält man sich aber einmal in dieser Ecke auf, um die prachtvollen Schlösser der Lippe-Renaissance zu besuchen, darf auch eine Stippvisite in der schönen Stadt nicht fehlen, die sich vor allem als Einkaufszentrum einen Namen gemacht hat. Mittelpunkt ist die gotische Marienkirche mit ihrem lichten, hallenförmigen Kirchenschiff. Restaurierungsarbeiten haben hier herrliche zarte Malereien im Zackenstil zutage gefördert, die um 1250 entstanden sind. Mitten auf dem Markt steht der „Bürgerbrunnen", ein Geschenk der Lippstädter an ihre 1185 gegründete Stadt zum 800. Geburtstag. Er zeigt Gestalten aus Geschichte und Geschichten, vom Stadtgründer Bernhard II. zur Lippe bis zu Grimmelshausens Romanheld Simplicissimus, der in Lippstadt gefangengehalten wurde. Auch Kaufmann, Gerber und Bäuerin als Symbole der Wirtschaft sind vertreten.

Nur wenig nordwestlich von Lippstadt befand sich früher das erste und einzige Benediktinerkloster in der Diözese Münster, die Abtei Liesborn. Als Kanonissenstift in der ersten Hälfte des 9. Jahrhunderts gegründet, übernahm es 1131 die Benediktinerregel. Zwischen dem 12. und dem 15. Jahrhundert entstand die ehemalige Klosterkirche, während die Abteigebäude in den Jahren 1725 – 35 errichtet wurden. Hier hat sich das Museum Abtei Liesborn etabliert mit Kunstwerken vom Mittelalter bis heute und einer wunderbaren Sammlung von künstlerisch gestalteten Kreuzen. Herausragend sind die Altartafeln des Meisters von Liesborn, eines der führenden Tafelmaler der zweiten Hälfte des 15. Jahrhunderts; die Hauptteile seines berühmten Altars sind heute in London und Münster zu sehen.

Der Schloßbau der Renaissance hat im Lippe-Raum eine ganz eigene Entwicklung durchgemacht, die heute als „Lippe-Renaissance" bezeichnet wird. Überreiche Ornamentierung sind eines der Hauptmerkmale dieser Stilrichtung. Besonders reichhaltig ist sie an Schloß Hovestadt erkennbar, der einstigen Landesburg der Kölner Erzbischöfe, die der Baumeister Laurenz von Brachum 1563 begann. Kreise und Vierecke, Bänder, Rauten und Löwenköpfe aus Ziegeln bilden den sehr plastischen Fassadenschmuck im sogenannten Florisstil, der hier einen Höhepunkt erreicht. Der heutige Zustand des Schlosses vermittelt nur wenig von der früheren Großartigkeit. Das Haus ist privat bewohnt, der Zutritt nicht gestattet. Die flachen, langgestreckten Wirtschaftsgebäude auf der Vorburg, die nach Plänen von Johann Conrad Schlaun entstanden, bedürfen dringend der Renovierung.

Hinter riesigen Bäumen den Blicken fast verborgen und für Besuche völlig unzugänglich ist Haus Assen, das nächste Werk Laurenz von Brachums. Das dreiflügelige Renaissance-Schloß nutzte den alten Rundturm aus dem 15. Jahrhundert. Mit seiner Trutzigkeit kontrastiert der feingliedrige Fassadenschmuck aus Bändern und Kartuschen, Rauten und Kreisen. Auch die Fenster mit ihren Segment- und Dreiecksgiebeln sind als Gliederungselement eingesetzt.

Überströmender Ornamentschmuck kennzeichnet das Wasserschloß Overhagen unweit Lippstadts. Es ist deutlich unter dem Einfluß Laurenz von Brachums entstanden, wenn auch erst 1619. Die Hofseite des Herrenhauses besticht durch ihr plastisch aufgelegtes geometrisches Backsteinmuster, das um so stärker hervortritt, als es aus roten und gelben Ziegeln zusammengesetzt ist. Auch der berühmte Soester Grünsandstein wurde verwendet, an der Wasserseite des Herrenhauses sogar für die gesamte Fassade. Überall sind menschliche Gesichter angebracht, heitere, ernste, grimassenhafte, die das fast grotesk wirkende Ornament noch unterstreichen. Overhagen ist heute Gymnasium und Internat.

Wer die Wahl hat... Auch das östliche Münsterland ist so reich an Wasserburgen und -schlössern, daß die Auswahl schwer fällt, weil immer Ungewöhnliches, Einzigartiges weggelassen werden muß. Von den zahlreichen architektonischen Sehenswürdigkeiten sei deshalb nur noch das Doppelschloß Harkotten ganz im Norden des Kreises Warendorf erwähnt. Ein barockes und ein klassizistisches Herrenhaus stehen sich hier gegenüber. Der Besitz gehörte einst den Rittern von Korff, wurde aber geteilt, als Heinrich von Korff Anfang des 14. Jahrhunderts ins Kloster eintrat und seine beiden Söhne die Burg erbten. Der östliche Teil kam 1615 durch Heirat an die Herrn von Ketteler, und so trägt das barocke Herrenhaus den Namen Harkotten-Ketteler. 1754 – 67 erbaute Johann Leonhard Mauritz Gröninger den verputzten, zweistöckigen Backsteinbau, dessen Schlichtheit nur der geschwungene Giebel unterbricht. 1805 begann Adolf von Vagedes auf dem anderen Teil von Harkotten für die Familie Korff ein Herrenhaus im Stil des Klassizismus, mit dem zugleich das Ende des Wasserburgenbaus eingeläutet wurde. Dem Gebäude liegt eher der Gedanke an eine Villa denn an ein Wasserschloß zugrunde, zumal die Gräften zugeschüttet wurden und nur ein Teich erhalten blieb, in dem sich die Fassade mit dem viersäuligen Portikus spiegelt.

Der Besuch des Doppelschlosses lohnt sich übrigens besonders im Mai und Juni. Dann ist nämlich im nahegelegenen Ort Füchtorf Spargelzeit. Erst 1949 kam ein findiger Bauer auf den Gedanken, die Sandböden der Gegend für das köstliche Gemüse zu nutzen, und heute hat Füchtorf sogar eine eigene Spargelkönigin.

Stolz recken sich die Giebel der Kaufmannshäuser am Warendorfer Markt der Laurentius-Kirche entgegen. Wohlstand und Gediegenheit sollten sie ausdrücken, städtisches Selbstbewußtsein gegenüber kirchlicher Macht. Ganz links ist noch ein Giebel des Rathauses zu sehen. Es wurde nach dem Stadtbrand von 1404 errichtet, in den folgenden Jahrhunderten jedoch oft umgebaut und beherbergt heute das Verkehrsamt und das Heimathaus. Gleich zwei für das Münsterland charakteristische und überaus beliebte Fortbewegungsmittel hat der Fotograf auf diesem Bild eingefangen: Fahrrad und Heißluftballon.

The gables of the merchants' houses on Warendorf market square stretch proudly towards St Laurence's church. They were designed to convey prosperity and solidity, urban self-assurance in the face of ecclesiastical power. On the far left you can see a gable of the Rathaus, which was built after the town fire of 1404, but frequently altered in the years that followed. It now houses the tourist office and the local history museum. The photographer has succeeded in capturing two popular means of transport characteristic of the region: the bicycle and the hot air balloon.

Morgendlicher Nebel über der Ems bei Telgte: Immer wieder finden sich im Münsterland Plätze, wo die Natur unberührt zu sein und die Zeit stillzustehen scheint. Doch der Fluß ist reguliert und fließt nur noch stellenweise in seinem alten Bett. Auch klappert keine Mühle mehr an seinem Ufer. Dabei gehörten einst Kornmühle, Öl- und Walkmühle sowie Sägemühle zum städtischen Bild Telgtes. Die gepflegten Emsauen sind heute beliebtes Ziel für den sonntäglichen Spaziergang oder die abendliche Rast.

Morning mist over the River Ems near Telgte: time and again in Münsterland you come across places where nature seems unspoiled and time seems to stand still. Yet the river has been regulated and only flows along its old bed here and there. No windmill clatters on its banks, though a cornmill, oil and fulling mill and a sawmill were once part of Telgte's townscape. Nowadays the well-kept meadows along the river's edge are a popular spot for Sunday walks or evening relaxation.

Eine große Linde beschattet
den Eingang zum Pfarramt
der Wallfahrtskirche St. Clemens in Telgte. Das schöne
Fachwerkhaus wurde im
18. Jahrhundert am Kirch-
platz errichtet, während das
Gotteshaus selbst bereits
1522 begonnen wurde. Lie-
bevoll gepflegt, gehört das
Pfarramt zur malerischen
Innenstadt Telgtes, das per-
fekt das Bild eines alten
münsterländischen Land-
städtchens bewahrt hat.
Eigentlicher religiöser
Mittelpunkt Telgtes ist aber
die barocke Gnadenkapelle
Beatae Mariae, in der das
als wundertätig geltende
Bild der Schmerzhaften
Muttergottes aufbewahrt
wird.

A mighty linden tree casts
its shade across the entrance
to the priest's office of the
pilgrimage church of St Clement's in Telgte. The attrac-
tive half-timbered house was
built on the church square
in the 18th century, while
construction of the church
itself began back in 1522.
Lovingly tended, the priest's
office is a feature of the picturesque town centre of
Telgte, which has perfectly
retained the image of an old
Münsterland small country
town. However, the actual
religious centre of Telgte is
the baroque Gnadenkapelle
Beatae Mariae which hosts
the image of the Madonna
that is considered to work
miracles.

Haus Harkotten unweit von
Füchtorf war einst Grenz-
burg zwischen Osnabrück
und Ravensberg und gehörte
den Rittern von Korff. 1334
teilten sich zwei Söhne den
Besitz, und seitdem gilt Harkotten als „zwei in einem":
zwei Burgen nämlich und
zwei Epochen. Die östliche
Hälfte kam 1615 durch
Heirat an die Herren von
Ketteler. Hier entstand
ab 1754 das barocke Herrenhaus mit dem oval ausladenden Vorbau, in dem für einige Zeit der Designer Luigi
Colani lebte und arbeitete.
Harkotten-Korff erhielt dagegen 1805/06 ein klassizistisches Herrenhaus. Ge-
meinsamer Besitz waren das
Burgtor, das Gerichtshaus,
die Kapelle und mehrere Gebäude auf der Mühleninsel.

Haus Harkotten, not far
from Füchtorf, was once a
border castle between Osnabrück and Ravensberg and
belonged to the knights of
Korff. In 1334 two sons di-
vided the estate, since when
Harkotten has existed as
"two in one"–two castles
and two epochs. In 1615 the
eastern half went to the
lords of Ketteler by mar-
riage. On this site in 1754
the Baroque manor house
with its oval protruding
porch was built. For a time it
was the home and workplace
of designer Luigi Colani.
Harkotten-Korff, on the
other hand, acquired a clas-
sicistic manor house in a-
round 1805/06. The castle
gate, courthouse, chapel and
several buildings on the mill
island were held as property
in common.

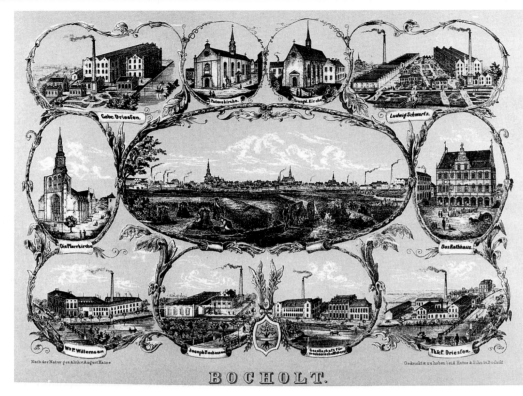

BOCHOLT.

Flach ist das Münsterland (fast) überall. Aber ist es hier, im Westen, nahe der niederländischen Grenze, nicht noch ein wenig flacher als anderswo? Die Parklandschaft weitet sich, Wassergräben trennen die Felder, nur selten verstellt ein Wäldchen den Blick. Und schaut man sich die Orte an, so ist schwer zu sagen, ob sie noch diesseits oder schon jenseits der Schlagbäume stehen. Land und Leute leben hier vor, was Staatsmänner nachvollzogen haben: das offene Europa. Nur folgerichtig war, daß sich hier schon vor vielen Jahren die Gemeinden zur „Euregio" zusammengeschlossen haben, um ihre Wirtschaftskraft zusammen zu vermarkten und miteinander für gemeinsame Interessen einzutreten.

Doch auch Projekte wie die „Sagen-Safari" entstanden hier: eine Tour zu beiden Seiten der Grenze, die in das Reich der Geister und Irrlichter führt. Auf abgelegenen Straßen geht es zu verborgenen Quellen und Teichen, in denen einst Schlösser versanken, über verwunschene Pfade, auf denen die Blutkutsche noch fährt, zu Spukgehöften und zu den Höhlen von Strauchdieben. Ganz neuzeitlich leitet eine Tonkassette den mutigen Reisenden. Eine zweitägige Route führt durch Twente und die Grafschaft Bentheim, für die Tour im Achterhoek und im Westmünsterland braucht man drei Tage Zeit. Helfershelfer der gruseligen „Sagen-Safari" sind die Verkehrsvereine Ahaus und Nordhorn.

Rheine, Gronau, Ahaus, Vreden, Borken, Bocholt – die münsterländischen Mittelstädte an der niederländischen Grenze wetteifern um das gepflegteste Stadtbild und die freundlichste Fußgängerzone. Leider haben sie im Bombenhagel des Zweiten Weltkriegs viel gelitten. So zum Beispiel Vreden, dessen wunderbare spätgotische Hallenkirche auf karolingischem Urbau unterging. Nach Zerstörung wiederhergestellt wurde die ehemalige Stiftskirche, ein kreuzförmiger romanischer Saalbau, in dem die 839 hierhergebrachten Reliquien der römischen Märtyrer Felicissimus, Agapitus und Felicitas aufbewahrt wurden. Gründer des später bedeutenden hochadligen Kanonissenstifts war im Jahr 839 Graf Walbert, ein Enkel des Sachsenherzogs Widukind. 1252 entstand auf dem Grundbesitz des Stifts eine Stadt, die schon 1324 zerstört und nur in kleinem Umfang am nördlichen Berkelufer wiederaufgebaut wurde. In Kriegen immer wieder umkämpft und im 19. Jahrhundert zweimal von verheerenden Bränden heimgesucht, kann Vreden heute kaum mit Relikten seiner bedeutenden Vergangenheit aufwarten. Im Hamaland-Museum, einem ehemaligen Gasthaus von 1675, sind Reste der Bauplastik sowie der Ausstattung der beiden großen Kirchen ausgestellt. Vreden war einst Hauptort der Chamaven, eines Volksstamms, der ab dem 1. Jahrhundert von den Sachsen bis an die Ijssel zurückgedrängt wurde. Nach ihnen heißt die Gegend heute noch Hamaland, eine gleichnamige Route führt zu den Sehenswürdigkeiten der Region.

Unweit Vreden und unmittelbar an der niederländischen Grenze liegt das Zwillbrocker Venn, ein einzigartiges Naturschutzgebiet, dessen Erhaltung jede Mühe lohnt. Experten vieler Fachrichtungen sind hier tätig, um die gefährdeten Überbleibsel der Moore, Heiden und Feuchtwiesen zu retten, die einst weite Teile der Region bedeckten. Weithin bekannt geworden ist das Venn durch die kleine Flamingokolonie, die hier seit etlichen Jahren brütet. Es handelt sich hauptsächlich um chilenische Flamingos, die vermutlich aus Tiergärten stammen und im Gebiet der Rheinmündung überwintern. Vor allem aber ist das Naturschutzgebiet Heimat zahlreicher Lachmöwen. Bis zu 10 000 Brutpaare tummeln sich zwischen März und Juli am Lachmöwensee; eigens aufgestellte Beobachtungskanzeln ermöglichen einen unmittelbaren Blick auf ihr

Schmuckstück Bocholts ist das prachtvolle Rathaus. Dieser Stich aus dem Jahre 1864 zeigt neben den Sehenswürdigkeiten auch Fabriken, denen die Stadt ihren Wohlstand verdankte.

The magnificent Rathaus is the jewel of Bocholt. This 1864 print shows, alongside the sights, the factories to which the town owed its prosperity.

Verhalten und die Entwicklung der Jungvögel. Auf den Heideflächen des Zwillbrocker Venns wurden Moorschnuckenschafe angesiedelt, die mit ihrem Verbiß für die Erhaltung der charakteristischen Landschaftsform sorgen, und auch der Brachvogel fühlt sich hier wieder heimisch, nachdem zahlreiche Birken abgeholzt worden sind.

Auch Bocholt, die größte Stadt der Region, war 1945 schwer zerstört. Beim Wiederaufbau wurden jedoch die alten Straßenzüge erhalten, so daß ein wenig der Eindruck der winkligen Handelsstadt vergangener Jahrhunderte erhalten ist. Ihr stolzestes Bauwerk, das Rathaus, haben die Bocholter in den fünfziger Jahren wiedererrichtet. In schönster Renaissance beherrscht die Schaufront den Markt der Stadt, und wer das Schützengildenhaus in Antwerpen kennt, wird Ähnlichkeiten sehen. Das Erdgeschoß ist durch Bögen zur Halle geöffnet, korinthische Halbsäulen und Pilaster, aus der Wand hervortretende Pfeiler, in Hermenform gliedern die Obergeschosse. Blickfang in der schon überreich geschmückten Fassade ist der Erker mit seiner ornamentalen Fülle im Knorpelstil. Die Häuser, die den Markt ansonsten flankieren, sind eher schlicht gehalten, als wollten sie die Schönheit des Rathauses noch steigern. Der Blumenmarkt, der auf dem Vorplatz abgehalten wird, ist farbenfroher Kontrast zu den Backsteinbauten.

Bocholt war einst ein Zentrum der Woll- und Leinenweberei – das Westfälische Textilmuseum bewahrt Zeugnisse davon auf –, wie überhaupt das ganze Westmünsterland bis in unsere Tage hinein von der Textilindustrie lebte. Auch die Grenzstadt Gronau blühte Mitte des 19. Jahrhunderts auf, als Niederländer auf deutscher Seite die ersten Textilbetriebe gründeten. Weil die Schutzzollpolitik des Deutschen Zollvereins Einfuhren aus den Niederlanden erschwerte, erhofften sie sich größere

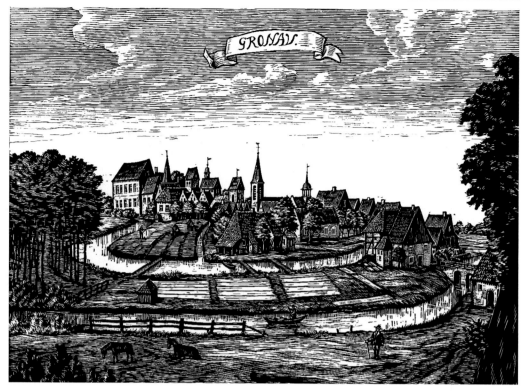

Chancen auf dem deutschen Markt. Für Gronau, das damals nur 1200 Einwohner hatte, begann das industrielle Zeitalter. Eisenbahnstrecken nach Münster und ins Ruhrgebiet wurden gebaut, und 1914 konnte Gronau stolz mit der größten Spinnerei Europas werben, in der 2500 Menschen arbeiteten; zeitweise mußten bis zu 80 Prozent der Beschäftigten aus den Niederlanden, aus Bayern und dem Rheinland angeworben werden. Die Textilkrise der siebziger Jahre traf die einseitig ausgerichtete Wirtschaft der Stadt hart, die Arbeitslosenquote stieg bis auf 20 Prozent. Ein großangelegtes Programm zur Strukturänderung wurde aufgelegt, das auf Branchenmix statt Monostruktur setzt und erste Erfolge zeigt. Spinnereigebäude werden zu Gründerzentren, Industriebrachen zu Wohn- und Geschäftsparks. Und ein denkmalgeschütztes ehemaliges Garnlager ist heute Kulturzentrum und trägt den Namen „Udo-Lindenberg-Halle", denn der bekannte Rockmusiker wurde in Gronau geboren.

Im „niederländischen Grachtentyp" auf ovalem Grundriß war einst Ahaus erbaut worden, das der Bischof von Münster 1406 kaufte. Die geistlichen Herrscher wußten bald die Wälder in der Umgebung als Jagdgründe zu schätzen und bauten Ahaus zur fürstbischöflichen Residenz aus. Vier Bischöfe sind hier gestorben, darunter Christoph Bernhard von Galen, der „Kanonenbischof" oder

„Priester in Harnisch", wie er wegen der zahlreichen Kriege, die er führte, genannt wird.

Schloß Ahaus ist die erste Residenz, die nach dem Dreißigjährigen Krieg im Bistum Münster entstand. Bauherr war Fürstbischof Friedrich Christian von Plettenberg, der auch Nordkirchen errichten ließ. Ungewöhnlich seine Wahl des Architekten: Ambrosius von Oelde (gest. 1705), Kapuzinermönch und Vertreter des flämischen Barock, erhielt den Auftrag zum Bau. Er plante das Schloß auf zwei Inseln mit einer Mittelachse, die am Herrenhaus endete. Eine wirkungsvolle Folge von Portalen betont

In einer Schleife der Dinkel entwickelte sich Gronau, das bis ins 19. Jahrhundert nur ein Dorf war. Dann wurde es zum Zentrum der Textilindustrie und beherbergte 1914 die größte Spinnerei Europas.

Gronau, just a village until the nineteenth century, took shape in a bend of the River Dinkel. It went on to become a centre of the textile industry, boasting in 1914 the largest spinning-mill in Europe.

die strenge Axialität der ganz aus Backstein errichteten Anlage. Nach schweren Beschädigungen im Siebenjährigen Krieg wurde Johann Conrad Schlaun beauftragt, die Residenz wiederherzustellen. 1829 kaufte der Amsterdamer Kaufmann Hermanus Oldenkott Schloß Ahaus – um es als Tabakfabrik zu nutzen. Der Kapellenraum im Nordturm wurde Lager, Treibriemen sausten durch Löcher, die man in Wände und Stuckdecken geschlagen hatte. 1945 brannte das Schloß bis auf die Umfassungsmauern aus, 1948 begann der Wiederaufbau nach den alten Plänen.

Ein ähnliches Schicksal hatte das westlichste unter den münsterländischen Wasserschlössern, Schloß Anholt. Umflossen von Issel und Aa, stehen Vorburg und Herrenhaus auf zwei Inseln inmitten des Hausteichs, in dem kleine Garteninseln „schwimmen". Überhaupt spielt die Gartenkunst eine große Rolle in Anholt. Da gibt es einen Wassergarten, auf dem zur Sommerzeit Tausende von Rosen ihren Duft verströmen, und

In Gescher weiß man, wo die Glocken hängen: Das alte Handwerk ist hier immer noch lebendig, ein eigenes Museum bringt dem Besucher die Kunstfertigkeit der Gießer nahe.

Gescher is a bell-making town. The bell-founder's craft is alive and well, and there is a special museum to show visitors the founder's skills.

den Garten Hertekolck, wo im Spätsommer Dahlien in unendlich vielen Farben leuchten. Die einzelnen Gärten im Park tragen Namen wie Canalgarten und De Tonge, Bergsken, Busquet, Postwagen und Den Hagen. Die heutige Gestalt gab dem Park 1858 der englische Gartenarchitekt Edward Milner aus Sydenham, der behutsam die Landschaft einbezog. Eine Kuriosität inmitten der die Natur unmerklich korrigierenden Anlage ist die „Anholter Schweiz", wie der Leopoldspark genannt wird. Er ahmt eine schweizerische Landschaft nach, künstlich aufgetürmt aus Karuper Kalksandstein. Als Motiv soll der Vierwaldstätter See gedient haben.

Ältester Teil des Schlosses ist der Bergfried aus dem 12. Jahrhundert. Im Inneren des „Dicken Turms" wird das Mittelalter lebendig: Ketten, Handschellen und in die Wand eingelassene Eisenringe zeigen, was damals im Verlies erduldet werden mußte.

Mit Filzpantoffeln an den Füßen schlurft der Besucher durch die weitläufigen Schloßsäle und kann kaum die zahllosen Kostbarkeiten erfassen. Dabei ist nur ein Bruchteil der ursprünglichen

Ausstattung erhalten, vieles ist im Krieg zerstört worden. Gerettet wurde ein großer Teil der wunderbaren Gemäldesammlung, zu deren Schätzen auch das Bild „Diana und Actaion" von Rembrandt gehört. Anholt ist heute nicht nur Museum, sondern auch Hotel, ein Golfplatz wurde eingerichtet, und auf der Terrasse mitten im Hausteich läßt sich gemütlich Kaffee trinken.

„Ein Turm wie ein gefrorener Trompetenstoß", „Westfälischer Wallenstein", „alles überragend, was dieses Land jemals vorher oder nachher geschaffen hat" – die überschwenglichen Worte gelten Schloß Raesfeld und seinen Bewohnern, das zu den ungewöhnlichen der doch so gar nicht einförmigen münsterländischen Wasserburgen gehört. Schon von weitem wird ein Unterschied deutlich: Es liegt nicht hinter Bäumen

verborgen, ist nicht erst aus der Nähe sichtbar. Sein origineller fünfeinhalbgeschossiger Turm, den eine steile Haube aus mehrfach geschachtelten Pyramidenstümpfen in den Himmel zu strecken scheint, ist das Wahrzeichen des Schlosses. Bemerkenswertester Hausherr war Alexander II. von Velen (1599 – 1675). Seine besondere Vorliebe galt der Astrologie. Er ließ sich täglich das Horoskop stellen und machte selbst astrologische

Der auffallende Turm von Schloß Raesfeld ist Ausdruck der besonderen Stellung, die sein Bauherr Alexander II. von Velen inne hatte. Er gehörte zu den einflußreichsten Adligen des Reiches und erwarb im Dreißigjährigen Krieg ungeheure Reichtümer.

Schloss Raesfeld's striking tower reflects the special status of its architect, Alexander II of Velen, one of the most influential noblemen in the Holy Roman Empire. He amassed vast riches during the Thirty Years' War.

Aufzeichnungen. Im wuchtigen Eckturm der Vorburg von Raesfeld (sprich: Raasfeld) ließ er ein Observatorium einrichten und hatte sogar wie Wallenstein einen gelehrten Sternendeuter in seinen Diensten. Alexander II. war im Dreißigjährigen Krieg General der Kaiserlichen Liga, 1634 sogar deren Generalbevollmächtigter. Der Krieg brachte ihm unermeßliche Reichtümer, die er zum Teil in den Ausbau seines Schlosses investierte. Nicht einheitlich geschlossen, sondern mit einer bewegten Umrißlinie und ganz auf Fernwirkung angelegt, ließ er die alte Wasserburg ausbauen. So wurden zum Beispiel die Flügel des Herrenhauses verschieden hoch angelegt, um mehr Licht und Sonne in den Innenhof zu lassen.

Alexander II. von Velen gehörte zu den Großen des Reichs, aber die von ihm angehäufte Macht, die ihm auch Sitz und Stimme im Reichstag zu Regensburg einbrachte, überlebte ihn nicht; nach seinem Tod setzte der Niedergang derer von Velen ein, Schloß Raesfeld verfiel. 1942 übernahmen es die Handwerkskammern Nordrhein-Westfalens, die hier ihre „Akademie des Handwerks" eingerichtet haben. Auf der Vorburg lernen im Fortbildungszentrum für handwerkliche Denkmalpflege Gesellen und manchmal auch Meister jene fast vergessenen Handwerkstechniken, die für Denkmalpflege und Restaurierung wichtig sind. Im prachtvollen Rittersaal aber ist bei musikalischen und literarischen Veranstaltungen wieder etwas vom einstigen Glanz Schloß Raesfelds zu spüren.

Alte Handwerkstradition ganz besonderer Art wird in Gescher gepflegt, der „Glockenstadt". Seit fast drei Jahrhunderten sorgen die Glockengießer von Gescher dafür, daß von Kirchtürmen in aller Welt klangvolle Töne die Gläubigen rufen. Hier im westlichen Münsterland wurde die schwerste deutsche Glocke nach dem Krieg hergestellt, die 13 000 Kilo wiegt und im tibetanischen Meditationszentrum in San Francisco hängt. Gescher hat ein eigenes Museum für die Glockengießerkunst eingerichtet, das einige der Geheimnisse des Handwerks verrät. So zum Beispiel, daß der Querschnitt der Glocke, „Rippe" genannt, über Schlagton, Gesamtklang und Nachhall entscheidet. Ihm gelten die umfangreichen Vorbereitungen für

den Guß der Glocke, der aber wiederum das eigentlich Spannende ist. Schiller hat den Augenblick unvergeßlich beschrieben: „Festgemauert in der Erden steht die Form, aus Lehm gebrannt ..."
An diese Anfangszeilen der „Glocke" mag sich mancher Besucher erinnern, wenn er die Glockengrube sieht, die Schritt für Schritt die Prozedur zeigt. Im Museum wird an Originalen die Entwicklung der Glocken vom frühen 12. Jahrhundert, die einem Zuckerhut ähnelten, bis zu den heutigen großen Läuteglocken mit der charakteristischen „Glockenform" deutlich. Romanische Glocken waren nur wenig verziert, barocke mit einer Fülle von Ornamenten überzogen. Kreuze, Heiligenbilder und Weiheinschriften sollten Gefahren von der Gemeinde abwenden, erst im Barock kamen auch Wappen und Name des Stifters hinzu, manchmal auch der des Gießers.

Kurios ist die Sammlung der Glocken, die im Alltag und bei der Arbeit zum Einsatz kamen und kommen: Schiffs-, Fabrik- und Schulglocken, Glocken für die amtlichen Ausrufer und für die Hand der Hausfrau, die damit das Personal rief, schließlich auch Glocken für Tiere, für Pferde, Kühe und Ziegen ebenso wie für Elefanten und Kamele.

Der prunkvolle Mittelrisalit an Schloß Ahaus läßt den Einfluß des flämischen Barocks erkennen. In der Nische oben im Giebel wacht der Apostel Paulus über den Innenhof.

Flemish Baroque influence is revealed by the lavish central risalto of Schloss Ahaus. In the niche up in the gable, the Apostle Paul keeps watch over the courtyard.

Moore, Heiden und Feucht-
wiesen gehören zu den
natürlichen und naturnahen
Lebensräumen in der
deutsch-niederländischen
Grenzregion. Diesseits der
Schlagbäume ist das Zwillbrocker Venn das bedeu-
tendste Reservat für Tiere
und Pflanzen, die am und im
Wasser leben. Die Landwirte
der Region konnten über-
zeugt werden, Feuchtwiesen
zu erhalten oder wiederherzustellen. Auf Moor- und
Heideflächen grast nun wieder eine Moorschnucken-
herde, und zwar grenzüberschreitend; ihr Verbiß trägt
mit dazu bei, daß in diesem
Naturschutzgebiet eine
unberührte „Insel" ursprüng-
licher Landschaft erhalten
bleibt.

Marshland, heath and water
meadows are an inherent
part of the natural, unspoiled biosphere in the German-
Dutch border region. Zwillbrocker Venn on the German
side is a most important reserve for flora and fauna
which live in and around the
water. Farmers of the region
were persuaded to retain or
restore the water meadows.
Now a flock of marshland
sheep grazes once more on
the marsh and heathland
on both sides of the border,
helping to ensure that an
untouched "island" of original landscape is retained in
this nature reserve.

Auch ohne den barocken Außenputz, den Schloß Anholt seit der Umgestaltung im 17. Jahrhundert trug und der bei der Renovierung nach schweren Kriegsschäden weggelassen wurde, bietet die Wasserburg am äußersten westlichen Zipfel des Münsterlands und schon am Übergang zum Niederrhein einen prachtvollen Anblick. Vor- und Hauptburg liegen auf zwei Inseln, die wiederum von mehreren Garteninseln umgeben sind, inmitten eines riesigen Hausteichs. Ältester Teil des Schlosses ist der ursprünglich freistehende Bergfried aus dem 13. Jahrhundert.

The Baroque finery worn by Schloss Anholt since it was refurbished in the 17th century was omitted when the castle was renovated after severe wartime damage. Even without it the moated castle on the extreme western tip of Münsterland, where it joins the Lower Rhine region, is a magnificent sight. The outer and main castles are on two islands. These in turn are surrounded by garden islands in a gigantic castle pond. The oldest part of the castle is the 13th-century keep, originally a free-standing structure.

Zwei Meter dick sind die
Fundamentmauern, über de-
nen sich Burg Gemen bei
Borken erhebt. Sie gehört zu
den ältesten erhaltenen Wasserburgen des Münsterlands
und geht auf einen karolingischen Haupthof im alten
Hamaland zurück. Um den
Ballturm, den einst freiste-
henden Bergfried, der diesen
Namen wegen seiner Haube
erhielt, entstanden unregel-
mäßige Gebäudegruppen,
die sich in den zahlreichen
breiten und schmalen Gräften rings um die Burg spiegeln. Das ursprüngliche
Baumaterial war rot-gelber
Sandstein, der in der Nähe
von Borken gebrochen wur-
de; es ist noch am Fuße
des Bergfrieds erkennbar.

The foundation walls of
Burg Gemen near Borken
are two metres thick. It is
one of Münsterland's oldest
remaining moated castles. It
began as a Carolingian fort
in ancient Hamaland. Irreg-
ular groups of buildings
sprang up around the ball
tower, once a free-standing
keep, which was given its
name on account of the
shape of its roof. The pattern
of these buildings is reflected
in the layout of the many
wide and narrow moats
round the castle. The original
building material was red-
dish sandstone quarried near
Borken: traces of it can still
be recognised at the foot of
the keep.

Nicht mehr Münsterland, noch nicht Holland: Die charakteristische Weite, von einzelnen Baumgruppen und lichtem Buschwerk unterbrochen, macht an den Staatsgrenzen nicht halt. Hamaland ist Grenzland, aber auch Landschaft ohne Grenzen. Die Chamaver, ein Volksstamm, der von den Sachsen bis an die Ijssel zurückgedrängt wurde, lebten hier; im Namen Hamaland ist die Erinnerung an sie erhalten. In Vreden, ihrem einstigen Hauptort, bewahrt das Hamalandmuseum auf, was die Chamaver hinterlassen haben.

No longer Münsterland, but not yet Holland: the characteristic wide open countryside broken by the occasional group of trees and sparse bushes does not stop at the border. Hamaland is border country, but at the same time a landscape without borders. This was the home of the Chamaver tribe, driven back by the Saxons right to the Ijsselmeer. Hamaland takes its name from them. The Hamaland museum in Vreden, once their main settlement, houses such traces as the Chamavers have left behind.

Annette von Droste-Hülshoff

Deutschlands sprachgewaltigste Dichterin wurde 1797 auf der Wasserburg Schloß Hülshoff bei Havixbeck geboren (geöffnet März-Mitte Dez. täglich 9.30-18 h; die heutige Hausherrin führt nicht mehr selbst, ein Tonband informiert über die Sehenswürdigkeiten; Tel. 0 25 34-10 52). Annette verbrachte den größten Teil ihres Lebens in Haus Rüschhaus, dem Landsitz, den der für das Münsterland und Westfalen so wichtige Barockbaumeister Johann Conrad Schlaun 1745-48 für sich selbst erbaut hatte (geöffnet täglich außer Mo im März/Apr. und Nov./Dez. 11-13 und 14-16 h, Mai-Okt. 10-13 und 14.30-17.30 h). Das „Fräulein von Hülshoff" hat in sensiblen, oft düsteren Versen ihre Heimat beschrieben.

Bocholt

Die größte Stadt im westlichen Münsterland und drittgrößte der Region. 22 Kilometer ihrer Stadtgrenze sind zugleich Staatsgrenze zu den Niederlanden, die das Bild der schmucken Stadt wesentlich beeinflußt haben. Eine architektonische Kostbarkeit ist das 1618-21 errichtete Rathaus in holländischer Backstein-Renaissance. Bocholt kann auf eine über tausend Jahre alte Stadtgeschichte verweisen und trägt heute den Titel „Gemeinde Europas".

Fahrrad

Die flache Landschaft und der Einfluß der nahen Niederlande haben es zum beliebtesten Verkehrsmittel des Münsterlands werden lassen. Der Begriff „Fahrrad" ist dem Münsterländer Otto Sarrazin zu verdanken, der als Mitbegründer des Allgemeinen Deutschen Sprachvereins das Veloziped zu Fahrrad eindeutschte. Nicht nur bei Einheimischen beliebt sind die „Pättkestouren", die Fahrradausflüge auf den kleinen Pfaden, die das Land durchziehen. Informationen zu organisierten Touren gibt Münsterland Touristik - Grünes Band (Hohe Schule 13, 48585 Steinfurt; Tel. 0 25 51-93 92 91).

Gräfte

So heißen die Wassergräben, die zum Schutz der Wasserburgen und Wasserschlösser, aber auch großer Bauerngehöfte seit dem Mittelalter rings um die Gebäude angelegt wurden. Künstliche Flußarme oder abgetrennte Flußschleifen wurden genutzt. Über die Gräfte führten Zugbrücken, die erst in friedlicheren Jahrhunderten durch feste Übergänge ersetzt wurden.

Kiepenkerl

Der wandernde Hausbote war noch bis zum Anfang dieses Jahrhunderts zwischen Stadt und Land mit Waren und Nachrichten unterwegs. Bekleidet mit kurzem blauem Leinenkittel und rotem Halstuch, dazu Knotenstock und Pfeife, transportierte er in seinem Tragkorb, der Kiepe, auf dem Rücken Nähzeug und Hausrat zu den Bauernhöfen, von denen er frische Eier, Schinken und Wurst mit in die Stadt brachte. Die Münsteraner haben ihm am Spiekerhof im „Kiepenkerlviertel" ein Denkmal gesetzt. Die unternehmungslustigeren Brüder des Kiepenkerls waren die Tödden des nördlichen Münsterlands, die mit ihren Stoffen weit über Land zogen und damit die heute noch bedeutende Textilwirtschaft des Münsterlands begründeten.

Kotten

Kotten nennt man die Bauernhäuser des Münsterlands. Das Wort ist mit „Kate" verwandt. Die Bewohner kleinerer Häuser, die keinen großen Grundbesitz hatten, waren die Kötter.

Merfelder Bruch

Das letzte Wildpferde-Reservat Europas liegt in der Nähe von Dülmen. Ein rund 200 Hektar großes Gebiet, bestehend aus Heide, Moor, Wiesen und zum Teil urwaldähnlichen Waldflächen, steht der Herde von rund 200 Tieren zur Verfügung. Die Pferde leben das ganze Jahr im Freien, ohne Fütterung oder sonstige menschliche Hilfe. Am letzten Samstag im Mai werden die einjährigen Hengste aus der Herde herausgefangen, um Inzucht zu vermeiden. Die kleinen, zähen Tiere, deren Farbe zwischen dunkelbraun und falb variiert, gelten als besonders anspruchslos.

Münster

Die Stadt, die dem Münsterland den Namen gab, ist seit vielen Jahrhunderten Mittelpunkt des Landes. Gegründet vom ersten münsterschen Bischof Liudger vor gut 1200 Jahren, entstand sie aus einem Kloster, Monasterium, woraus sich Münster ableitet. Die Stadt erlebte im Mittelalter eine große Blüte als mächtige Handelsstadt und Mitglied der Hanse. Davon zeugen noch heute die stolzen Giebelhäuser am Prinzipalmarkt, der „Guten Stube" Münsters, die zusammen mit dem gotischen Rathaus nach dem letzten Krieg wiederaufgebaut wurden. Münster hat heute 280 000 Einwohner, 55 000 davon sind Studenten der Westfälischen Wilhelms-Universität, der drittgrößten Universität der Bundesrepublik. Der Allwetterzoo (Sentruper Straße 315, 48161 Münster; Tel. 02 51-8 90 40) ist täglich 9-17 h geöffnet.

Museen

Die Museenlandschaft des Münsterlands ist überaus vielfältig. Es finden sich Kunstmuseen von überregionaler Bedeutung ebenso wie Spezialmuseen, etwa das Glockenmuseum in Gescher oder das Römermuseum in Haltern mit seiner Sammlung zur Römerzeit in Westfalen. Darüber hinaus gibt es in den meisten Orten Stadt- und Heimatmuseen mit häufig reizvollen Exponaten zur lokalen Geschichte und bäuerlichen Kultur. Zu den interessantesten Museen gehören:

Bocholt:
Westfälisches
Industriemuseum/Textilmuseum
Uhlandstr. 50
46397 Bocholt
Tel. 0 28 71-18 42 24
Di-Sa 10-18 h

Gescher:
Glockenmuseum
Lindenstr. 4
46712 Gescher
Tel. 0 25 42-71 44
Mai-Okt. Di-So 10-12 u. 15-18 h
Nov.-Apr. Di-So 10-12 u. 15-17 h

Haltern:
Westfälisches Römermuseum
Weseler Straße 100
45721 Haltern
Tel. 0 23 64-9 37 60
Di-Fr 9-17 h, Sa/So 10-18 h

Havixbeck:
Sandsteinmuseum
Gennericher Weg 9
48329 Havixbeck
Tel. 0 25 07-3 31 75
März-Okt. Di-So 11-18 h
Nov.-Febr. Di-So 13-18 h

Münster:
Westfälisches Landesmuseum
für Kunst und Kulturgeschichte
Domplatz 10
48143 Münster
Tel. 02 51-59 07 01
Di-So 10-18 h

Freilichtmuseum Mühlenhof
Sentruper Straße 223
48149 Münster
Tel. 02 51-98 12 00
Apr.-Okt. täglich 10-17 h
Nov.-März täglich 11-16 h
geschlossen vom 24.-31.12

Westfälisches Museum für Naturkunde
Sentruper Straße 285
48149 Münster
Tel. 02 51-5 91 05
Di-So 9-18 h

Friedenssaal im Rathaus
Prinzipalmarkt
48143 Münster
Tel. 02 51-4 92 27 24
Mo-Fr 9-17 h, Sa 9-16 h,
So u. feiertags 10-13 h

Stadtmuseum
Salzhof, Salzstr. 28
Tel. 02 51-4 92 45 03
48143 Münster
Di-Sa 10-18 h

Tecklenburg:
Kreismuseum (Heimatmuseum)
Wellenberg
49545 Tecklenburg
Tel. 0 54 82-70 700
Apr.-Okt. Di-So 10-12 u. 14-17 h
Nov.-März So 10-12 u. 14-17 h

Vreden:
Hamaland-Museum
Butenwall 4
48691 Vreden
Tel. 0 25 64-10 36
Di-So 10-17 h,
Bauernhaus geschlossen von Nov.-März

Warendorf:
Heimathaus
Rathaus, Markt 1
48231 Warendorf
Tel. 0 25 81-5 42 60
Di-Fr 15-17 h, Sa 10.30-12.30 h,
So 10.30-12.30 u. 15-17 h

Nordkirchen

Dieses prächtigste der Wasserschlösser des Münsterlands wird auch „Westfälisches Versailles" genannt. Ohne Voranmeldung ist es nur Sa/So 14-18 h geöffnet (Tel. 0 25 96-93 30). Aber auch wer wochentags kommt, braucht nicht enttäuscht von dannen zu ziehen. Die herrlichen Parkanlagen sind mehr als eine Entschädigung. Ob im Mai, wenn die Kastanien blühen, im Oktober, wenn das Laub sich bunt färbt oder im Schnee, wenn die Linien der geraden Alleen noch schärfer hervortreten: Das Gartenkunstwerk, das J. C. Schlaun entworfen hat, ist immer einen Spaziergang wert – der dann übrigens auch an ein paar modernen Bauten vorbeiführt, in denen das Land Nordrhein-Westfalen künftige Finanzfachleute ausbildet.

Oelde/Stromberg

Der höchste Ort des Münsterlands liegt 154 Meter über dem Meeresspiegel in den Beckumer Bergen. Die Stromberger Höhenburg war einst die Grenzfeste des Bistums Münster. Stromberg ist berühmt für seine vielen tausend Pflaumenbäume, die im Frühling herrlich blühen und deren Früchte im Herbst zu köstlichem Pflaumenkuchen verarbeitet werden.

Pättkes

Die kleinen Pfade, die das Münsterland durchziehen, sind ein ideales Pflaster für endlose Fahrradtouren.

Rheine

Die Stadt entstand um den Falkenhof, den Nachfolgebau des karolingischen Königshofs „Reni", der verkehrsgünstig an einer Emsfurt gelegen war. Der Wohlstand Rheines beruhte seit dem Mittelalter auf der Tuchmacherei und dem Tuchhandel. Im Ortsteil Bentlage ist die „Gottesgabe", die einzige Saline des Münsterlands, zu finden.

Spökenkieker

Von den Menschen mit dem „zweiten Gesicht" gab es vor nicht allzu langer Zeit noch etliche im Münsterland.

Steinfurt

Der Ort geht auf eine Ansiedlung zurück, die im 12. Jahrhundert nahe der Burg Steinfurt entstand, eine der größten und ältesten Wasserburgen des Münsterlands (privat bewohnt, Besichtigung nur für Gruppen nach Voranmeldung; Tel. 0 25 51-13 83). In der Altstadt stehen zahlreiche historische Sehenswürdigkeiten, die zum Teil bis in das 15. Jahrhundert zurückreichen. Die „Hohe Schule" von Steinfurt, gegründet 1591, war die erste Universität Westfalens. Reizvoll ist das „Bagno", der einstige Schloßgarten und einer der frühesten Landschaftsparks in Europa.

Venn

Ein Venn ist im Münsterland ein Moor. Nachdem sie jahrhundertelang die Landschaft bestimmt haben, gibt es heute nur noch wenige. Berühmt ist das Zwillbrocker Venn nahe der niederländischen Grenze. In dem abgetorften Hochmoor nistet nicht nur seit den dreißiger Jahren eine große Lachmöwen-Kolonie mit rund 10 000 Tieren, dort hat sich vor einigen Jahren auch eine Gruppe von Flamingos niedergelassen, die alljährlich zum Brüten wiederkommt.

Warendorf

Die alte Handelsstadt an der Ems ist die Pferde-Stadt des Münsterlands schlechthin. Nachdem es hier bereits seit über 150 Jahren ein erst preußisches, dann nordrhein-westfälisches Landgestüt gab, siedelten sich in den fünfziger Jahren noch das Deutsche Olympia-Komitee für Reiterei und die Deutsche Reiterliche Vereinigung an. Bei den jährlichen „Hengstparaden" zeigen die Zuchtpferde ihre Kraft und ihre Schönheit. Besonders beeindruckend sind die Vorführungen der massigen Kaltblüter; sie spielten noch bis vor wenigen Jahrzehnten in der Landwirtschaft eine große Rolle.

Wasserburgen

Münsterland ist das Land der Wasserburgen. Über 100 dieser von Gräben geschützten Burgen und Schlösser gibt es heute noch, große und kleine, schlichte und prächtige, in allen architektonischen Stilen erbaut. Da gibt es die wehrhaften, massiven Burgen des Mittelalters, wie zum Beispiel Vischering und Steinfurt, die schlichten Renaissance-Bauten wie Haus Alst und die prächtigen Barockanlagen wie Schloß Nordkirchen. Heute sind die „Perlen des Münsterlands" teils privat bewohnt, teils als Hotel, Schulungsstätte und Museum genutzt. So kann etwa Burg Gemen in Borken (Tel. 0 28 61-9 22 00) nur nach Voranmeldung von Gruppen besichtigt werden. Hier einige der schönsten Wasserburgen mit ihren Öffnungszeiten:

Anholt:
Im niederländischen Barock erbaute Wasserburg mit einem Bergfried aus dem 12. Jahrhundert; schönes Hotel mit Golfplatz und Restaurant. Das Museum zeigt Porzellan- und Gemäldesammlungen; geöffnet 15.3.-15.10. Di bis So von 10-18 h, 16.10.-14.03. Sa/So und feiertags von 10-18 h (Tel. 0 28 74-4 53 53).

Lembeck:
Streng axial gegliederte Wasserburg aus dem Ende des 17. Jahrhunderts, heute Museum und Hotel; Besichtigung März - Okt. täglich 9-18 h (Tel. 0 23 69-71 67).

Raesfeld:
1643-58 erbautes Renaissanceschloß des Reichsgrafen Alexander II. von Velen, der hier ein Observatorium einrichtete. Blickfang ist schon von weitem ein ungewöhnlich gestufter Turm. Nur der Park und die Schloßkapelle sind geöffnet (Tel. 0 28 65-95 51 27), im Kellergewölbe befindet sich eine Gaststätte.

Vischering:
Die trutzigste der münsterländischen Wasserburgen stammt im Kern aus dem 13. Jahrhundert. Sie ist ringförmig erbaut und sehr wehrhaft mit dicken Mauern und Zugbrücken. Das Museum mit land- und hauswirtschaftlichen Geräten hat einen schönen Rittersaal, in dem Konzerte und Ausstellungen stattfinden; geöffnet Apr.-Okt. täglich außer Mo 10-12.30 und 13.30-17.30 h, Nov.-März 10-12.30 und 13.30-16.30 h, vom 24.-31.12. geschlossen (Tel. 0 25 91-36 72). Im Kellergewölbe befindet sich ein Restaurant.

Westerwinkel:
Mitte des 17. Jahrhunderts erbautes Barockwasserschloß; geöffnet Apr.-Okt. Di-Fr 14-17 h, Sa/So und feiertags 14-18 h (Tel. 0 25 99-4 31).

Westfälischer Himmel

Er hängt voller Schinken und Würste, denn so nennt man den Rauchabzug über münsterländischen Kaminen, wenn er gut mit dem Besten bestückt ist, was das Schwein hergibt. In dünne Scheiben geschnitten wird der Schinken auf hellem Brot serviert, belegt mit einer Scheibe Pumpernickel. Dazu gibt es den „Westfälischen Landwein", den Korn, der gern und viel „ut'm Läppel" (aus dem Zinnlöffel) getrunken wird. In Münster trinkt man dann auch noch das Altbier, ein obergäriges Gebräu, das oft mit gezuckerten Früchten als Altbierbowle gereicht wird.

Monika Hörig, geb. 1954, studierte Alte Geschichte und Archäologie, promovierte in Münster und veröffentlichte zahlreiche Bücher über Regionen und Städte Deutschlands. Sie ist heute stellvertretende Pressesprecherin der Bundesstadt Bonn. Im Ellert & Richter Verlag ist die Bildreise „Ostwestfalen und Teutoburger Wald" lieferbar.

Toma Babovic, geb. 1953 in Verden/Aller, studierte Architektur und Graphik-Design an der Akademie für Künste in Bremen. Seit 1989 freischaffender Fotodesigner in der Hansestadt. Er arbeitet u. a. für „stern", „Saison" und „Merian". Im Ellert & Richter Verlag erschienen seine Bildreisen „Potsdam", „Wanderungen durch die Mark Brandenburg", „Schönes Berlin", „Ostfriesland und seine Inseln", „Auf Martin Luthers Spuren", „Klassisches Weimar" und „Schönes Bremen" sowie die Erlebnis-Reise „Schottland".

Titelabbildung:
Schloß Hülshoff

Bildnachweis:
Farbfotos:
Abbildungen im Textteil:
Toma Babovic, Bremen: S. 7, 22, 23, 34/35, 45, 46, 47, 57 beide, 58, 59, 70, 71
Josef Bieker, Dortmund: S. 84/85
Bildarchiv Preußischer Kulturbesitz, Berlin: S. 21
Kreisarchiv, Warendorf: S. 72
Münsterland Touristik, Steinfurt: S. 84 links
Ulrike Romeis, Dortmund: S. 37
Stadtarchiv, Bocholt: S. 82
Stadt Gronau, Gronau: S. 83
Stadtmuseum, Münster: S. 36
Süddeutscher Verlag Bilderdienst, München: S. 18/19, 20, 44, 85 rechts

Die Deutsche Bibliothek – CIP-Einheitsaufnahme

Münster und das Münsterland / Toma Babovic / Monika Hörig. – Sonderausg.. – Hamburg : Ellert & Richter, 2001
(Eine Bildreise)
ISBN 3-89234-995-9

Text und Bildlegenden: Monika Hörig, Bonn
Übertragung ins Englische / English Translation: Paul Bewicke, Hamburg
Gestaltung: nach Entwürfen von Büro Brückner + Partner, Bremen
Lektorat: Frank Heins, Hamburg
Satz: appelt mediaservice, Hamburg
Lithographie: Offset-Repro im Centrum, Hamburg
Druck: Girzig + Gottschalk, Bremen
Bindung: S. R. Büge, Celle